AF218669

## ACCESO GRATIS *a la Lectura en la Nube*

Para visualizar el libro electrónico en la nube de lectura envíe junto a su nombre y apellidos una fotografía del código de barras situado en la contraportada del libro y otra del ticket de compra a la dirección:

**ebooktirant@tirant.com**

En un máximo de 72 horas laborables le enviaremos el código de acceso con sus instrucciones.

# INTERINOS EN EL EMPLEO PÚBLICO

## RÉGIMEN JURÍDICO Y PUNTOS CRÍTICOS
## TRAS EL REAL DECRETO-LEY 14/2021

# INTERINOS EN EL EMPLEO PÚBLICO

## RÉGIMEN JURÍDICO Y PUNTOS CRÍTICOS TRAS EL REAL DECRETO-LEY 14/2021

**REMEDIOS ROQUETA BUJ**
**JOSÉ MARÍA GOERLICH PESET**
*Catedráticos de Derecho del Trabajo y de la Seguridad Social*
*Universidad de Valencia*

VNIVERSITAT ĐVALÈNCIA PUV
PUBLICACIONS

**tirant lo blanch**
Valencia, 2021

© Remedios Roqueta Buj
José María Goerlich Peset

© De esta edición, Tirant lo Blanch y Publicacions de la Universitat de València
Edita: Tirant lo Blanch
Publicacions de la Universitat de València
Email:tlb@tirant.com
www.tirant.com
Librería virtual: www.tirant.es
Depósito Legal: V-1238-2021
ISBN: 978-84-1397-168-1 (Tirant lo Blanch)
ISBN: 978-84-9134-896-2 (PUV)
MAQUETA: Tink Factoría de Color

Si tiene alguna queja o sugerencia, envíenos un mail a: *atencioncliente@tirant.com*. En caso de no ser atendida su sugerencia, por favor, lea en *www.tirant.net/index.php/empresa/politicas-de-empresa* nuestro procedimiento de quejas.

Responsabilidad Social Corporativa: http://www.tirant.net/Docs/RSCTirant.pdf

# Índice

*Capítulo Primero*
### EL NOMBRAMIENTO DE FUNCIONARIOS INTERINOS Y EL CONTRATO DE INTERINIDAD: OBJETO

*Capítulo Segundo*
### EL ACCESO DEL PERSONAL INTERINO

*Capítulo Tercero*
## DERECHOS Y OBLIGACIONES DEL PERSONAL INTERINO

*Capítulo Cuarto*
## LA EXTINCIÓN DE LA RELACIÓN DEL PERSONAL INTERINO

*Capítulo Quinto*
## LA UTILIZACIÓN ABUSIVA DE CONTRATOS O RELACIONES LABORALES DE DURACIÓN DETERMINADA EN LAS ADMINISTRACIONES PÚBLICAS

*Capítulo Sexto*

# LA REGULARIZACIÓN DEL EMPLEO TEMPORAL DE LARGA DURACIÓN

# Abreviaturas

| | |
|---|---|
| AA.VV. | Autores Varios. |
| Art. | Artículo. |
| ATS | Auto del Tribunal Supremo. |
| BOE | Boletín Oficial del Estado. |
| (CA) | Sala de lo Contencioso-Administrativo. |
| CC | Código Civil. |
| CE | Constitución Española. |
| DA | Disposición Adicional. |
| DD | Disposición Derogatoria. |
| DF | Disposición Final. |
| DT | Disposición Transitoria. |
| EBEP | Real Decreto Legislativo 5/2015, de 30 de octubre, por el que se aprueba el texto refundido de la Ley del Estatuto Básico del Empleado Público. |
| ET | Real Decreto Legislativo 2/2015, de 23 de octubre, por el que se aprueba el Texto Refundido de la Ley del Estatuto de los Trabajadores. |
| LBRL | Ley 7/1985, de 2 de abril, Reguladora de las Bases del Régimen Local. |
| LJCA | Ley 29/1998, de 13 de julio, Reguladora de la Jurisdicción Contencioso-Administrativa. |
| LJS | Ley 36/2011, de 10 de octubre, Reguladora de la Jurisdicción Social. |
| LI | Ley 53/1984, de 26 de diciembre, de Incompatibilidades del Personal al Servicio de las Administraciones Públicas. |
| LOI | Ley Orgánica 3/2007, de 22 de marzo, para la igualdad efectiva de mujeres y hombres. |
| LOPJ | Ley Orgánica 6/1985, de 1 de julio, del Poder Judicial. |
| LPAC | Ley 39/2015, de 1 de octubre, del Procedimiento Administrativo Común de las Administraciones Públicas. |
| LPGE | Ley de Presupuestos Generales del Estado. |

| | |
|---|---|
| LRJSP | Ley 40/2015, de 1 de octubre, de Régimen Jurídico del Sector Público. |
| RD | Real Decreto. |
| Rec. | Recurso. |
| Recud. | Recurso de casación para la unificación de doctrina. |
| RGI | Real Decreto 364/1995, de 10 de marzo, por el que se aprueba el Reglamento General de Ingreso del Personal al servicio de la Administración general del Estado y de Provisión de Puestos de Trabajo y Promoción Profesional de los Funcionarios Civiles de la Administración general del Estado. |
| STC | Sentencia del Tribunal Constitucional. |
| STJCE | Sentencia del Tribunal de Justicia de la Unión Europea. |
| STS | Sentencia del Tribunal Supremo. |
| STSJ | Sentencia del Tribunal Superior de Justicia. |
| TRRL | Real Decreto Legislativo 781/1986, de 18 de abril, por el que se aprueba el Texto Refundido de las disposiciones legales vigentes en materia de Régimen Local. |

# Presentación

El presente trabajo tiene su origen en el dictamen que nos encargó el año pasado la plataforma *Interinos en acción*, animada por cinco funcionarias interinas valencianas, en relación con las posibilidades de abrir algún tipo de proceso de consolidación de empleo público. Tras años de limitación, cuando no congelación, de los procesos de selección de personal fijo, el problema de este tipo de funcionarios y trabajadores ha adquirido dimensiones notables, tanto desde la perspectiva cuantitativa como desde un punto de vista temporal. A juzgar por los datos que conocemos el número de vinculaciones de esta naturaleza se ha mantenido extraordinariamente elevado; y, como consecuencia de las restricciones y también de las ineficiencias, es igualmente elevado el tiempo en el que las personas permanecen en situación de interinidad.

Es probable que la dimensión que ha adquirido el problema haga necesaria una específica intervención legislativa. De hecho, aparte los preceptos aprobados en las últimas leyes de presupuestos, en los últimos tiempos hemos asistido a la formulación de varias propuestas en el ámbito parlamentario, tanto autonómico como estatal, que intentan afrontarlo mediante el establecimiento de específicos procedimientos de consolidación de empleo.

En esta línea, la CUP presentó 13 de julio de 2020 en el Parlamento de Cataluña una proposición de ley de estabilización de los trabajadores del sector público catalán, que pretende abordar la situación de los trabajadores con contratos temporales de más de tres años para actividades estables. Dicha proposición de ley propone que estos trabajadores tengan reconocido el derecho a continuar en sus puestos de trabajo con los mismos derechos y la misma estabilidad e inamovilidad que rige la función pública de carrera, sin que se les reconozca en todo caso esta condición. Además, se plantea que los funcionarios interinos o temporales no puedan perder el empleo si las plazas a las que están adscritas son ocupadas después de un proceso selectivo.

En las Cortes Generales, la proposición de Ley presentada el 30 de octubre de 2020 por el Grupo Parlamentario Plural, en la que se plantea habilitar a las Administraciones Públicas para que puedan efectuar, con carácter excepcional y por una sola vez, convocatorias de pruebas selectivas mediante turno especial de acceso a cuerpos, escalas o categorías que no hayan sido objeto de oferta de empleo público con posterioridad a 1 de enero de 2010, o aquellas que hayan tenido una oferta insignificante, en el que podría participar el personal interino que, en el momento de publicarse la convocatoria, acreditase un mínimo de diez años de servicios prestados en los cuerpos, escalas o categorías objeto de convocatoria —esto es, nos encontraríamos propiamente ante un proceso de selección restringido—, mediante el sistema de concurso-oposición. La fase de oposición constaría de una única prueba selectiva eliminatoria de carácter teorico-práctico en relación a los procedimientos, tareas y funciones habituales de los puestos objeto de cada convocatoria.

Por su parte, la Coalició Compromís registró en el Senado el 9 de diciembre de 2020 una Proposición de Ley en la que se propone la constitución de un grupo de personas expertas para el análisis de las causas de la temporalidad en el empleo público y que las Administraciones Públicas realicen de forma excepcional y por una vez convocatorias de consolidación de personal temporal en plazas de carácter estructural que estén dotadas presupuestariamente y que, a fecha de la aprobación de la presente proposición de ley, se encuentren desempeñadas interina o temporalmente durante tres o más años, mediante el sistema de un concurso de méritos previsto en el art. 61.6 del RDLeg. 5/2015, de 30 de octubre, por el que se aprueba el texto refundido de la Ley del Estatuto Básico del Empleado Público (EBEP). La selección tendría una fase única de valoración de méritos en la que se valoraría de forma preferente el tiempo prestado en la Administración convocante y la experiencia en los puestos de trabajo objeto de la convocatoria.

Por otro lado, el Pleno del Congreso ha aprobado el 17 diciembre 2020 la Proposición no de Ley del Grupo Parlamentario Vasco que insta al Gobierno a impulsar con carácter urgente una reforma consensuada del EBEP para abordar el problema de la temporalidad en el empleo público a la luz de la doctrina jurisprudencial comunitaria. Entre otras medidas, se propone articular respuestas legales —eficientes y eficaces— de estabilización de los empleados, previo diálogo con las CC.AA. y la FEMP, y las centrales sindicales.

Por último, hay que traer a colación la aprobación del Real Decreto-ley 14/2021, de 6 de julio, de medidas urgentes para la reducción de la temporalidad en el empleo público. Una buena parte de esta norma mira a solucionar el problema de la reiterada puesta en cuestión del derecho interno por el TJUE por su falta de adecuación a la Directiva 99/70/CE. Las nuevas reglas que se introducen en el EBEP (art. 1 RDL 14/2021), además de establecer ulteriores límites al recurso a la fuerza de trabajo temporal, prevé específicas compensaciones para los casos en los que se produzca extralimitación. Pero el RDL 14/2021, en la línea abierta por las LPGE 2017 y 2018, habla de *"estabilización de empleo temporal"* (art. 2); y esta fue precisamente la parte más discutida en el debate de convalidación. Aunque se consiguiera finalmente, fue porque existió el compromiso de tramitarlo como proyecto de ley y, sobre todo, de introducir en sede parlamentaria modificaciones dirigidas a satisfacer las expectativas de estabilización del personal temporal, sea funcionario o laboral.

A la vista de todo ello, nuestra intención es determinar si y en qué medida son admisibles este tipo de iniciativas. Siendo cierto que los mismos fuerzan los principios constitucionales en materia de acceso al empleo público, no lo es menos que tampoco resulta adecuada la situación a la que quedan abocados funcionarios y trabajadores interinos por su aplicación incondicionada. De ello es muestra la frecuencia con la que ha intervenido el Tribunal de Justicia de la Unión Europea en el tema y, también, la intensidad creciente con que lo ha hecho. Es esta la cuestión que explica la publicación de este trabajo y la que ocupa su mayor parte. De hecho, prácticamente la mitad de su extensión corresponde a los capítulos quinto y sexto, en los que se aborda. Nos ha parecido interesante, en todo caso, dedicar una mirada más amplia al tema, habida cuenta la intensa y extensa problemática que afecta a los colectivos estudiados.

# Capítulo Primero

# El nombramiento de funcionarios interinos y el contrato de interinidad: objeto

## I. PERSONAL FUNCIONARIO INTERINO

Son funcionarios interinos «*los que, por razones expresamente justificadas de necesidad y urgencia, son nombrados como tales con carácter temporal para el desempeño de funciones propias de funcionarios de carrera, cuando se dé alguna de las siguientes circunstancias*» (art. 10.1 EBEP)[1]. De este modo, se establece como condición inexcusable para nombrar funcionarios interinos, que no sea posible con la urgencia exigida por las circunstancias, la prestación del servicio por funcionarios de carrera[2]. Es decir, destaca ante todo en esta normativa básica el carácter de urgencia y excepcionalidad del nombramiento de interinos[3].

A la hora de enjuiciar la «urgencia» que habilita el nombramiento de interinos, hay que tener en cuenta la doctrina jurisprudencial que se expresa en los siguientes términos[4]:

- En primer lugar nos encontramos ante un concepto jurídico indeterminado, cuyo control, como el de todos los actos administrativos en general, tiene su cobertura constitucional en el artículo 106.1 de nuestra norma fundamental, cuando dispone que: «*Los Tribunales controlan la potestad reglamentaria y la legalidad de la actuación administrativa, así como el sometimiento de ésta a los fines que la justifican*». Este precepto permite residenciar todos los actos

---

[1]   En cuanto a la posibilidad de nombrar policías locales en régimen de interinidad, véanse la STC 175/2011, de 8 de noviembre; y las SSTS (CA) de 14 de junio de 2019 (Rec. 922/2017) 18 de junio de 2019 (Rec. 889/2017) y 2 de marzo de 2020 (Rec. 3247/2019).

[2]   SSTS (CA) de 30 de noviembre de 1988 (RJ/9053) y 16 de mayo de 1989 (RJ/3698).

[3]   STS (CA) de 16 de mayo de 1989 (RJ/3698).

[4]   STS (CA) de 8 de febrero de 2007 (Rec. 38/2005).

administrativos y los reglamentos ante los jueces y tribunales, sin excepción alguna. Claro que ese control solo puede hacerse con el parámetro del ordenamiento jurídico, al que los jueces y tribunales están sometidos (art. 9.1 y 117.1 de nuestra Constitución), pero la discrecionalidad será la consecuencia de que no existe vulneración del ordenamiento jurídico y no un «prius» que excluya el control jurisdiccional de un acto administrativo, so pretexto de una calificación de un acto o una potestad administrativa como discrecional.

– En segundo lugar, la situación de urgencia, al suponer una excepción al sistema ordinario de provisión del personal administrativo, debe estar debidamente justificada y acreditada por la Administración Pública.

– En tercer lugar, no puede existir una situación de urgencia cuando la situación se arrastra de años anteriores y siendo excesivo el número de plazas convocadas para ser cubiertas por interinos, lo que revela un anormal funcionamiento administrativo a la hora de la provisión de dichas plazas por el sistema legalmente establecido.

El nombramiento de funcionarios interinos es factible cuando pueda acogerse a alguno de los supuestos permitidos, a saber (art. 10.1 EBEP):

a) La existencia de plazas vacantes, cuando no sea posible su cobertura por funcionarios de carrera, por un máximo de tres años, en los términos previstos en el apartado 4.

b) La sustitución transitoria de los titulares, durante el tiempo estrictamente necesario.

c) La ejecución de programas de carácter temporal, que no podrán tener una duración superior a tres años, ampliable hasta doce meses más por las leyes de Función Pública que se dicten en desarrollo de este Estatuto.

d) El exceso o acumulación de tareas por plazo máximo de nueve meses, dentro de un periodo de dieciocho meses.

No obstante lo anterior, en el ámbito local hay que tener en cuenta lo dispuesto en el art. 92.3 de la Ley 7/1985, de 2 de abril, Reguladora de las Bases del Régimen Local (LBRL), en su redacción dada por el art. 1.24 de la Ley 27/2013, de 27 de diciembre, a cuyo tenor «*corresponde exclusivamente a los funcionarios de carrera al servicio de la Administración local el ejercicio de las funciones que impliquen la participación directa o indirecta en el ejercicio de las potestades públicas o en la salvaguardia de los intereses generales»* e *«igualmente son funciones públicas, cuyo cumplimiento queda reservado a funcionarios de carrera, las que impliquen ejercicio de autoridad, y en general, aquellas que en desarrollo de la presente Ley, se reserven a los funcionarios para la mejor garantía de la objetividad, imparcialidad e independencia en el ejercicio de la función».* Por lo tanto, y como quiera que la policía local tiene naturaleza de fuerza y cuerpo de seguridad integrada por funcionarios al servicio de la Administración local y ejerce funciones públicas que implican el ejercicio de autoridad, su desempeño queda reservado al personal funcionario de carrera, no resultando ajustado a derecho el nombramiento de agentes de la Policía Local en régimen de interinidad[5].

## 1. *Interinidad por vacante*

### 1.1. Objeto

Se pueden nombrar funcionarios interinos para el desempeño de funciones propias de funcionarios de carrera, cuando existan *«plazas vacantes»* y *«no sea posible su cobertura por funcionarios de carrera»* [art. 10.1.a) EBEP]. Las plazas vacantes desempeñadas por personal funcionario interino *«deberán ser objeto de cobertura mediante cualquiera de los mecanismos de provisión o movilidad previstos en la normativa de cada Administración Pública»* (art. 10.4 EBEP, en su nueva redacción dada por el art. 1.1 RD-l 14/2021)[6].

---

[5]    En cuanto a la posibilidad de nombrar policías locales en régimen de interinidad, véanse la STC 175/2011, de 8 de noviembre; y las SSTS (CA) de 14 de junio de 2019 (Rec. 922/2017) 18 de junio de 2019 (Rec. 889/2017) y 2 de marzo de 2020 (Rec. 3247/2019).

[6]    Aunque el RD-l 14/2021 ha entrado en vigor el 8 de julio de 2021 (DF 3.ª RD-14/2021), las previsiones contenidas en el art. 1 de este real decreto-ley *«serán de aplicación únicamente respecto del personal temporal nombrado o contratado con posterioridad a su entrada en vigor»* (DT 2.ª RD-l 14/2021).

Por lo tanto, los requisitos que se exigen para el nombramiento de funcionarios interinos por vacante son los siguientes:

1.º) Que se nombre al funcionario interino para cubrir una plaza funcionarial preexistente y vacante en la Administración Pública contratante. Por consiguiente, la plaza ha de estar dotada, aprobada e incluida en la correspondiente relación de puestos de trabajo, puesto que la creación, modificación, refundición, y supresión de puestos de trabajo se realiza a través de las relaciones de puestos de trabajo (art. 74 EBEP), o en el catálogo o plantilla previamente aprobados.

2.º) Que no sea posible la cobertura de dicha plaza vacante por funcionarios de carrera. Este requisito debe ponerse en relación con el presupuesto habilitante de todo nombramiento de personal interino, a saber, la necesidad y urgencia justificadas. Por lo tanto, si tal presupuesto no concurre, porque no lo impone la correcta prestación de los servicios, lo que procede es proveer ese puesto de trabajo con un funcionario de carrera por medio de los procedimientos ordinarios de provisión de puestos de trabajo, sea por concurso o por libre designación según el puesto de trabajo y las determinaciones de la RPT (art. 78.2 EBEP), u otras fórmulas previstas por la legislación vigente con idéntico fin.

3.º) Que la plaza vacante desempeñada por el personal funcionario interino sea «*objeto de cobertura mediante cualquiera de los mecanismos de provisión o movilidad previstos en la normativa de cada Administración Pública*». El término «*mecanismos de provisión o movilidad*» no está correctamente utilizado por la norma legal, que debería haberse referido a los procedimientos de «provisión de puestos de trabajo» y de «selección».

## 1.2. Duración

En el supuesto previsto en la letra a) del apartado 1 del art. 10 del EBEP, las plazas vacantes desempeñadas por funcionarios interinos debían incluirse en la oferta de empleo correspondiente al ejercicio en que se produjera su nombramiento y, si no era posible, en la siguiente, salvo que se decidiera su amortización (art. 10.4 EBEP). De no ofertarse, bien fuera en régimen de promoción interna o de acceso libre, las plazas dotadas presupuestariamente que se encontraban ocupadas por funcionarios interinos, se vulneraba lo dispuesto en el art. 10.4 del EBEP en relación con el art. 23.2 de la Constitución Española, pues no se podían alegar motivos económicos y de autoorganización, ya que las plazas estaban presupuestadas y ocupadas por funcionarios interinos[7]. No obstante, la obligación de incluir en la Oferta de Empleo Público las vacantes cubiertas por interinos cedía cuando se superaba el límite fijado por la legislación presupuestaria a la reposición de efectivos[8].

La ejecución de la oferta de empleo público o instrumento similar debía y debe desarrollarse dentro del plazo improrrogable de tres años (art. 70.1 EBEP)[9]. Dicho plazo, que se computa a partir de la publicación de la oferta de empleo público[10], tiene la consideración de un plazo esencial[11]. Lo que determina la anulabilidad de la convocatoria del proceso selectivo tramitada fuera de plazo [art. 48.3 Ley 39/2015, de 1 de octubre, del Procedimiento Administrativo Común de las Administraciones Públicas (LPAC)][12]. Este vicio de invalidez del acto administrativo permite, no obstante, la conservación de los actos y trámites cuyo contenido se hubiera mantenido igual de no haberse cometido tal infracción (art. 51 LPAC). Por consiguiente, si el procedimiento selectivo se desarrolla sin que se atribuya vicio o tacha alguna, en su ejecución, determinante de su invalidez, el funcionario interino que no resulta

---

[7]  STS (CA) de 29 de octubre de 2010 (Rec. 2210/2007).

[8]  Cfr. las SSTS (CA) de 20 de noviembre de 2013 (Rec. 44/2013), 21 de abril de 2017 (Rec. 1688/2016) y 1 de febrero de 2018 (Rec. 2617/2015); y la STSJ de Galicia (CA) de 15 de mayo de 2020 (Rec. 72/2019).

[9]  Con carácter excepcional, la habilitación temporal para la ejecución de la Oferta de Empleo Público, o instrumento similar de las Administraciones Públicas y de los procesos de estabilización de empleo temporal previstos en los arts. 19.Uno.6 de la Ley 3/2017 y 19.Uno.9 de la Ley 6/2018, mediante la publicación de las correspondientes convocatorias de procesos selectivos regulada en el art. 70.1 del EBEP, *«cuyo vencimiento se produzca en el ejercicio 2020, se entenderá prorrogada durante el ejercicio 2021»* (art. 11.1 Real Decreto-ley 23/2020, de 23 de junio).

[10]  Cfr. la DA 3.ª del DA 3.ª del RD 936/2020, de 27 de octubre, por el que se aprueba la oferta de empleo público para el año 2020; y STS (CA) de 12 de diciembre de 2019 (Rec. 3554/2017).

[11]  SSTS (CA) de 10 de diciembre de 2018 (Rec. 129/2016) y 21 de mayo de 2019 (Rec. 209/2016).

[12]  STS (CA) de 12 de diciembre de 2019 (Rec. 3554/2017).

seleccionado, al no superar las pruebas selectivas correspondientes, no puede pretender la nulidad de todo el proceso y su nuevo nombramiento como interino hasta que se realice otra oferta de empleo público ejecutada correctamente. Con todo, se ha producido el vicio de invalidez en la convocatoria al no respetar el mentado plazo legal de tres años, lo que comporta determinadas consecuencias que van ligadas, como pretensión accesoria, a la nulidad del acto administrativo, y que se traducen en la indemnización de los daños y perjuicios, incluidos en la restitución de efectos, que constituye la única medida posible, a los efectos del art. 71 de la Ley 29/1998, de 13 de julio, Reguladora de la Jurisdicción Contencioso-Administrativa (LJCA), para lograr el pleno restablecimiento de la situación jurídica perturbada por el acto administrativo contrario al ordenamiento jurídico. Restablecimiento que se determina en función del tipo de plaza cubierta por el interino, su participación en el proceso selectivo, el tiempo del periodo de selección y el trascurrido.

De este modo, en virtud de los arts. 10 y 70 del EBEP, las Administraciones Públicas debían incluir las plazas vacantes desempeñadas por los funcionarios interinos en la oferta de empleo público correspondiente al año en el que se produjo su nombramiento o al año siguiente y convocar el correspondiente proceso de selección o de promoción interna a más tardar en los tres años siguientes a la fecha de publicación de la oferta de empleo público. Ciertamente, el derecho a la convocatoria de un proceso de selección para que se cubriera la plaza ocupada como personal interino tenía también un límite temporal, representado por el concreto plazo temporal que fuera aplicable a la oferta de empleo público de la que derivase la correspondiente convocatoria[13]. Ello nos situaba ante un horizonte temporal máximo de prestación de servicios de cinco años. Además, había que añadir el tiempo que durasen los procesos selectivos para la cobertura reglamentaria de las plazas vacantes, sin que existieran plazos legales máximos en lo referente a su organización y conclusión. En fin, el esquema legal reseñado obviaba una realidad, a saber: que las Administraciones Públicas para cubrir las plazas vacantes en muchas ocasiones deben acudir en primer término a los procedimientos

---

[13]    STS (CA) de 28 de noviembre de 2007 (Rec. 1128/2003).

de provisión de puestos de trabajo y que solo los puestos de trabajo que no lleguen a cubrirse por tales procedimientos formarán parte de la oferta de empleo público, en la que se podrán convocar en turnos de promoción interna y de acceso libre.

Pues bien, en este contexto, el art. 1.1 del RD-114/2021 da una nueva redacción a los apartados 1.a) y 4 del art. 10 del EBEP. Así, de un lado, el nuevo art. 10.1.a) del EBEP limita la duración del nombramiento del personal funcionario interino por vacante a *«un máximo de tres años, en los términos previstos en el apartado 4»*.

Y, de otro lado, el nuevo art. 10.4 del EBEP establece la siguiente regulación:

> *«En el supuesto previsto en el apartado 1.a), las plazas vacantes desempeñadas por personal funcionario interino deberán ser objeto de cobertura mediante cualquiera de los mecanismos de provisión o movilidad previstos en la normativa de cada Administración Pública.*
>
> *No obstante, transcurridos tres años desde el nombramiento del personal funcionario interino se producirá el fin de la relación de interinidad, y la vacante solo podrá ser ocupada por personal funcionario de carrera, salvo que el correspondiente proceso selectivo quede desierto, en cuyo caso se podrá efectuar otro nombramiento de personal funcionario interino.*
>
> *Excepcionalmente, el personal funcionario interino podrá permanecer en la plaza que ocupe temporalmente, siempre que se haya publicado la correspondiente convocatoria dentro del plazo de los tres años, a contar desde la fecha del nombramiento del funcionario interino. En este supuesto podrá permanecer hasta la resolución de la convocatoria, sin que su cese dé lugar a compensación económica».*

A partir de la interpretación conjunta de ambas disposiciones legales, se extrae el siguiente esquema:

1.º) Las Administraciones Públicas deben publicar la correspondiente convocatoria de provisión de puestos de trabajo o de selección dentro del plazo de los tres años, a contar desde la fecha del nombramiento del funcionario interino. En este último caso, sin embargo, se aprecia una falta de coordinación entre los arts. 10.1.a) y 4 y 70 del EBEP, ya que este mantiene el plazo de tres años para la ejecución de la oferta de empleo público a contar desde su publicación y salvo que la vacante sea cubierta a través de concursos de traslado o movilidad interna, la Administración debe incluirla en la oferta anual de empleo como paso previo para su cobertura definitiva.

2.º) El personal funcionario interino podrá permanecer en la plaza que ocupe temporalmente, siempre que se haya publicado la correspondiente convocatoria dentro del plazo de los tres años, hasta la resolución de la misma, sin que su cese dé lugar a compensación económica.

3.º) Transcurridos tres años desde el nombramiento del personal funcionario interino o, en su caso, el tiempo que dure el proceso de provisión de puestos de trabajo o de selección se producirá el fin de la relación de interinidad, y la vacante solo podrá ser ocupada por personal funcionario de carrera, salvo que el proceso de provisión o de selección quede desierto, en cuyo caso se podrá efectuar otro nombramiento de personal funcionario interino.

## 2. Interinidad por sustitución

### 2.1. Objeto

El objeto de la «interinidad por sustitución» es «*la sustitución transitoria de los titulares, durante el tiempo estrictamente necesario*» [arts. 10.1.b) EBEP], esto es, la provisión de un puesto de trabajo reservado a un funcionario de carrera o, en su caso, a un funcionario interino, ausente temporalmente por cualquier causa (permisos contemplados en el art. 48 del EBEP y permisos por motivos de conciliación de la vida personal, familiar y laboral y por razón de violencia de género previstos en el art. 49, vacaciones, reducción de jornada por cuidado de hijos o familiares, por razón de violencia de género sobre la mujer funcionaria o por razón de terrorismo sobre los funcionarios, permisos por riesgo durante el embarazo y riesgo durante la lactancia natural, bajas médicas, situaciones administrativas de servicios especiales, comisión de servicios u otras causas de desempeño temporal de puestos distintos al propio con derecho de retorno al mismo, y excedencias por cuidado de hijos y otros familiares, por razón de violencia de género o de violencia terrorista).

## 2.2. Duración

En los nombramientos de funcionarios interinos por sustitución de funcionarios con derecho a reserva de puesto, la duración del nombramiento ha de limitarse al «*tiempo estrictamente necesario*» [art. 10.1.b) EBEP, en su nueva redacción dada por el art. 1.1 RD-l 14/2021]. Por consiguiente, coincidirá con la del tiempo durante el que subsista el derecho de reserva. No cabe, en principio, establecer un término fijo, salvo casos excepcionales tales como el de ausencia con reserva de otro funcionario interino.

## 3. *Interinidad para programas de carácter temporal*

## 3.1. Objeto

De conformidad con el art. 10.1.c) del EBEP, también cabe el nombramiento de funcionarios interinos para «*la ejecución de programas de carácter temporal, que no podrán tener una duración superior a tres años, ampliable hasta doce meses más por las leyes de Función Pública que se dicten en desarrollo de este Estatuto*». Esta modalidad de interinidad en una transposición al ámbito de la función pública de los contratos para obra o servicio determinados previstos en el art. 15.1.a) del Real Decreto Legislativo 2/2015, de 23 de octubre, por el que se aprueba el Texto Refundido de la Ley del Estatuto de los Trabajadores (ET). El objeto de estos contratos es «*la realización de una obra o servicio determinados, con autonomía y sustantividad propia dentro de la actividad de la empresa y cuya ejecución, aunque limitada en el tiempo, sea en principio de duración incierta*» [arts. 15.1.a) ET y 2.1 RD 2720/1998, de 18 de diciembre, por el que se desarrolla el artículo 15 del Estatuto de los Trabajadores en materia de contratos de duración determinada]. Estos contratos terminan cuando termina la obra o servicio, pero no podrán tener una duración superior a 3 años, ampliable hasta 12 meses más por convenio de ámbito sectorial estatal o, en su defecto, sectorial inferior [art. 15.1.a) ET]. Una vez «*transcurridos estos plazos, los trabajadores adquirirán la condición de trabajadores fijos de la empresa*» [art. 15.1.a) ET].

La causa legal del nombramiento de interinidad es la ejecución de programas de carácter temporal, como por ejemplo, el consistente en el reasentamiento y reubicación, en el marco del sistema de acogida de solicitantes de asilo y refugiados, como consecuencia de las necesidades surgidas de los acuerdos adoptados por el Consejo Europeo de 20 de julio de 2015. En cambio, no existe razón objetiva para el nombramiento de interinos cuando se trata de realizar las tareas permanentes y de duración indefinida o de tracto continuado en las Administraciones Públicas. Esta necesaria limitación temporal de la actividad debería llevar a descartar el uso del nombramiento de interinos, aun tratándose del desempeño de tareas con perfiles propios —es decir, con autonomía y sustantividad— si en éstas concurren las notas de habitualidad y reiteración. Ello se produce en los servicios de tracto continuado que se caracterizan por la repetición de los actos que los constituyen con independencia del tiempo durante el cual pueden prolongarse. Así, por ejemplo, no podría ser cubierto por funcionarios interinos la enseñanza en los colegios durante el curso escolar, pues constituye la actividad propia, estructural, inmanente, habitual, ordinaria y genérica de los mismos.

## 3.2. Duración

La duración del nombramiento será la del tiempo exigido para la ejecución del programa de carácter temporal. Pero no podrá tener una duración superior a 3 años, ampliable hasta 12 meses más por las leyes de Función Pública que se dicten en desarrollo de este Estatuto [art. 10.1.c) EBEP].

El personal interino cuya designación fuera consecuencia de la ejecución de programas de carácter temporal o del exceso o acumulación de tareas por plazo máximo de seis meses, dentro de un período de doce meses, podía prestar los servicios en la unidad administrativa en la que se produjera su nombramiento o en otras unidades administrativas en las que desempeñase funciones análogas, siempre que, respectivamente, dichas unidades participasen en el ámbito de aplicación del citado programa de carácter temporal, con el límite de duración señalado en este artículo, o estuvieran afectadas por la mencionada acumulación de tareas (art. 10.6 EBEP). Más dicha posibilidad ya no figura en el art. 10 del EBEP tras la modificación operada por el art. 1.1 del RD-l 14/2021).

## 4. *Interinidad de carácter eventual*

## 4.1. Objeto

Por último, el art. 10.1.d) del EBEP permite nombrar personal interino en el caso de «*exceso o acumulación de tareas*». Este supuesto viene a ser una reproducción prácticamente idéntica (mutatis mutandis), del contrato eventual por circunstancias de la producción *ex* art. 15.1.b) del ET. Este contrato temporal puede concertarse «*cuando las circunstancias del mercado, acumulación de tareas o exceso de pedidos así lo exigieran, aun tratándose de la actividad normal de la empresa*».

La similitud estructural entre el interino eventual y el contrato eventual, permite trasladar (mutatis mutandis) al primero, las elaboraciones realizadas por la doctrina jurisprudencial en torno al segundo.

Y así, las Administraciones Públicas pueden nombrar personal interino eventual para:

a) Atender un incremento inusual y transitorio de la actividad de la Administración que no puede ser cubierto con la plantilla ordinaria de la misma.

b) Hacer frente a una «*acumulación de tareas*». Lo que caracteriza a la «acumulación de tareas» es la desproporción existente entre el trabajo que se ha de realizar y el personal de que se dispone, de forma tal que el volumen de aquel excede manifiestamente de las capacidades y posibilidades de este; y ello se produce tanto cuando se trata de un aumento ocasional de las labores y tareas que se tienen que efectuar aun estando al completo la plantilla correspondiente, como cuando, por contra, se mantiene dentro de los límites de la normalidad el referido trabajo pero, por diversas causas, el número de empleados que ha de hacer frente al mismo resulta insuficiente. El indicado desequilibrio o desproporción puede obedecer a la existencia de un déficit estructural de plantilla. En efecto, según la doctrina jurisprudencial, en el caso de las Administraciones Públicas, Organismos públicos o sociedades mercantiles públicas, un déficit estructural de la plantilla puede actuar como un supuesto de «acumulación de tareas». Ciertamente, si el número total de funcionarios y trabajadores fijos que integran tal plantilla, estando la misma al completo, no es suficiente para despachar adecuadamente el trabajo que pesa sobre los mismos, es indiscutible, de un lado, la existencia de un exceso de trabajo y en consecuencia de una acumulación de tareas, situación que constituye la base esencial de la eventualidad y, de otro, tal situación no puede ser remediada de forma rápida e inmediata —en el ámbito de las Administraciones Públicas no puede recurrirse a la interinidad por vacante si el puesto de trabajo no se ha creado como tal y no se ha incluido en la relación de puestos de trabajo—. Y, por ello, se concluye que es *«lícito el que la Administración acuda a los contratos de trabajo eventuales para remediar, en la medida de lo posible, esa situación».*

## 4.2. Duración

La duración máxima del nombramiento del personal interino eventual era de *«seis meses, dentro de un periodo de doce meses».* Sin embargo, el art. 10.1.d) del EBEP, en su nueva redacción dada por el art. 1.1 del RD-l 14/2021, amplía la duración del nombramiento sin llegar a los máximos permitidos por la norma laboral en favor de la autonomía colectiva (doce meses de duración en un período de referencia de dieciocho meses). En efecto, dicho precepto permite que el nombramiento se mantenga *«por plazo máximo de nueve meses, dentro de un periodo de dieciocho meses».* Sin embargo, el nuevo marco legal resulta sumamente difícil de conciliar con las actividades de carácter estacional. Además, en contra de lo que las apariencias pudieran inducir a pensar, reduce las ocasiones en que se pueden efectuar estos nombramientos, pues hasta que no se agote el período de referencia de dieciocho meses cualquier nuevo nombramiento vinculado a la situación de eventualidad que justificó el anterior habrá de ser tenido en cuenta para el cálculo del período máximo de nueve meses de duración. Ciertamente, como subraya la STS de 21 de abril de 2004 (Recud. 1678/2003) a propósito del contrato eventual, la

Ley «*no toma un solo módulo de cálculo, sino dos; en un período de doce meses no puede un trabajador prestar servicios de naturaleza eventual más de seis meses, así es que esto puede ocurrir, bien celebrando un solo contrato, en cuyo caso sobraría la referencia a los doce meses, o en varios contratos cobrando entonces sentido el plazo de referencia, de manera que todas las ocasiones en que se presten servicios de esta clase no pueden superar los seis meses en un año*». Y así, a los efectos de la duración máxima del nombramiento de interinidad eventual hay que computar todos los nombramientos de esta clase de que ha sido objeto el mismo funcionario interino dentro del período de referencia al que alude el art. 10.1.d) del EBEP. El planteamiento del Tribunal Supremo supone que pueden realizarse varios nombramientos de interinidad eventual desde que se inicia el incremento de la actividad o la acumulación de tareas y dentro del período de referencia de los dieciocho meses siguientes, si bien la duración de todos los nombramientos no puede superar los nueve meses en total.

## II. PERSONAL LABORAL INTERINO

Cuando las Administraciones Públicas contratan trabajadores de forma temporal deben someterse a la normativa laboral que se contiene en el ET y en el RD 2720/1998, de 18 de diciembre, por el que se desarrolla el artículo 15 del Estatuto de los Trabajadores en materia de contratos de duración determinada[14].

---

[14] Por todos, BALLESTER PASTOR, I., *El contrato de trabajo eventual por circunstancias de la producción*, Tirant lo Blanch, Valencia, 1998; MARÍN CORREA, J.Mª., «La contratación temporal», *Revista del Ministerio de Trabajo e Inmigración*, núm. 38, 2002; SEMPERE NAVARRO, A.V. y otros, *Los Contratos de Trabajo Temporales*, Aranzadi, Pamplona, 2004; SALA FRANCO, T. y ALTÉS TÁRREGA, J.A., «La contratación de personal laboral en la Administración Local», *Revista de estudios locales*, nº. Extra 112, 2008; GARCÍA NINET, I. y otros, *Contratación temporal y medidas de fomento de empleo*, Atelier, Barcelona, 2009; PÉREZ DE LOS COBOS ORIHUEL, F. y otros, *Contratación temporal, empresas de trabajo temporal y subcontratación en la negociación colectiva*, Ministerio de Trabajo e Inmigración, Madrid, 2010; ROQUETA BUJ, R., «La eventualidad en las Administraciones Públicas», *Nueva revista española de derecho del trabajo*, núm. 214, 2018; ROQUETA BUJ, R., *La contratación temporal en las Administraciones Públicas*, INAP,

El contrato de interinidad podrá celebrarse [arts. 15.1.c) ET y 4.1 RD 2720/1998]: a) para sustituir a trabajadores con derecho a reserva del puesto de trabajo en virtud de norma, convenio colectivo o acuerdo individual («interinidad por sustitución»); b) para cubrir temporalmente un puesto de trabajo durante el proceso de selección o promoción para su cobertura definitiva («interinidad por vacante»).

## 1. Interinidad por sustitución

## 1.1. Objeto

El objeto del contrato de «interinidad por sustitución» es remplazar a trabajadores ausentes «con de*recho a reserva de puesto de trabajo en virtud de norma, convenio colectivo o acuerdo individual»* [arts. 15.1.c) ET y 4.1 RD 2720/1998]. Por consiguiente, únicamente pueden ser objeto de esta modalidad contractual aquellas situaciones jurídicas que generen el referido derecho a la reserva de puesto de trabajo (suspensiones contractuales por incapacidad temporal, riesgo durante el embarazo, riesgo durante la lactancia natural, privación de libertad del trabajador mientras no haya sentencia condenatoria firme, sanción disciplinaria, ejercicio de cargo público representativo, o para sustituir a las trabajadoras víctimas de violencia de género, tanto si han suspendido su contrato de trabajo como si han ejercido su derecho a la movilidad geográfica o al cambio de centro de trabajo [art. 21.3 Ley Orgánica 1/2004, de 28 de diciembre, de Medidas de Protección Integral contra la Violencia de Género]. En cambio, no será posible celebrar el contrato de interinidad para sustituir a trabajadores durante una huelga legal, salvo que se hayan incumplido los servicios de mantenimiento y seguridad o los servicios mínimos en huelgas en servicios esenciales para la comunidad [art. 6.5 Decreto-Ley 17/1977, de 4 de marzo, sobre Relaciones de Trabajo (RDLRT)], ni para sustituir a un trabajador con contrato de trabajo suspendido por

---

Madrid, 2019; y AA.VV., *Las relaciones laborales en el sector público* (Dir. Blasco Pellicer y López Balaguer), Tirant lo Blanch, Valencia, 2019; y ROQUETA BUJ, R., Derecho del Empleo Público, 2.ª Edición, Tirant lo Blanch, Valencia, 2021.

fuerza mayor temporal, por causas económicas, técnicas, organizativas o de producción o por cierre patronal legal, por tratarse de causas de suspensión del contrato de trabajo que, por su propia naturaleza, excluyen la contratación de trabajadores interinos. Tampoco se podrá concertar en los supuestos de suspensión por mutuo acuerdo o por las causas consignadas válidamente en el contrato, salvo que se haya pactado la reserva del puesto de trabajo.

Ahora bien, cualquier circunstancia que genere dicho derecho legitima el empleo del contrato de interinidad, y no únicamente las situaciones suspensivas enumeradas en los arts. 45.1 y 48 del ET. Ello quiere decir que además de los supuestos allí contemplados existen otros en los que también cabe la contratación de interinos, en la medida en que encierran un genérico derecho a la reserva del puesto de trabajo, como sucede con los permisos retribuidos, las vacaciones[15], los días de descanso en compensación de festivos trabajados u horas extraordinarias realizadas, las reducciones de jornada contempladas en el art. 37.6 del ET, la adscripción temporal[16] o las situaciones excedentarias que dan lugar a la reserva del puesto de trabajo (la excedencia forzosa por la designación o elección para un cargo público que imposibilite la asistencia al trabajo [arts. 45.1.k) y 46.1 ET] o la excedencia por cuidado de hijos o familiares (art. 46.3 ET)]. En cambio, no puede celebrarse un contrato de interinidad en el resto de las situaciones excedentarias [excedencia

---

[15]  En cambio, según el Tribunal Supremo, el contrato de interinidad no está previsto para la sustitución de los trabajadores que están disfrutando de sus vacaciones o descansos. En este sentido, la STS de 12 de junio de 2012 (Recud. 3375/2011) subraya que la causa de interinidad aducida —sustitución de un empleado en vacaciones— «es en realidad una causa de eventualidad, puesto que la ausencia por vacaciones no es una situación de suspensión del contrato de trabajo con derecho a reserva de plaza, sino una mera interrupción ordinaria de la prestación de servicios que no genera una vacante reservada propiamente dicha». Por ello, sostiene que la cobertura de las necesidades provocadas en la empresa como consecuencia de la coincidencia de las vacaciones de los trabajadores de la plantilla puede llegar a constituir causa de acumulación de tareas a efectos de eventualidad. En el mismo sentido, la STS de 12 de septiembre de 2017 (Recud. 2520/2015). Cfr. la STS de 3 de mayo de 1994 (Recud. 2438/1993). Sin embargo, ya hemos visto cómo el contrato de interinidad por sustitución sí puede utilizarse para remplazar a un empleado en vacaciones.

[16]  STS de 26 de mayo de 2021 (Recud. 2199/2019).

voluntaria (art. 46.2 ET), excedencia voluntaria por funciones sindicales en organizaciones sindicales que no tienen la consideración de más representativas (art. 46.4 ET) y excedencia voluntaria por incompatibilidad (art. 10 LI)].

Con todo, el derecho a la reserva del puesto de trabajo puede venir reconocido «*en virtud de norma, convenio colectivo o acuerdo individual*» (art. 4.1 RD 2720/1998). De este modo, las reservas de puesto de trabajo que legitiman la celebración de un contrato de trabajo de interinidad por sustitución no se contraen exclusivamente a las contempladas en la ley, sino que también comprenden las tipificadas en los convenios colectivos —estatutarios o extraestatutarios— e, incluso, las pactadas a nivel individual.

## 1.2. Duración

La duración del contrato de interinidad por sustitución será, *ex* art. 4.2.b) del RD 2720/1998, «*la del tiempo que dure la ausencia del trabajador sustituido con derecho a la reserva del puesto de trabajo*», no contemplándose la posibilidad de extinguir el contrato por el simple transcurso de un determinado período de tiempo. En efecto, según el art. 8.c) del RD 2720/1998, el contrato de interinidad por sustitución se extinguirá por las siguientes causas: por la reincorporación del trabajador sustituido; por el vencimiento del plazo legal o convencionalmente establecido para la reincorporación; y por la extinción de la causa que dio lugar a la reserva del puesto de trabajo. De este modo, la lectura de los antecitados preceptos revela que la cláusula contractual, por la que se establece una duración determinada —por ejemplo, de tres o dieciocho meses en los contratos de interinidad por sustitución de trabajadores en situación de incapacidad temporal—, es nula de pleno derecho por contrariar la esencia del contrato de interinidad, cuya duración viene determinada por el tiempo durante el que subiste el derecho a la reserva del puesto de trabajo del sustituido.

## 2. Interinidad por vacante

## 2.1. Objeto

El objeto del contrato de «interinidad por vacante» es «*cubrir temporalmente un puesto de trabajo durante el proceso de selección o promoción para su cobertura definitiva*» (art. 4.1 RD 2720/1998).

La validez de los contratos de interinidad por vacante queda condicionada a que se cumplan los siguientes requisitos:

1.º) Que se contrate a un trabajador para cubrir una plaza preexistente y vacante en la Administración Pública contratante[17]. Por consiguiente, la plaza ha de estar dotada, aprobada e incluida en la correspondiente relación de puestos de trabajo, puesto que la creación, modificación, refundición, y supresión de puestos de trabajo se realiza a través de las relaciones de puestos de trabajo (art. 74 EBEP).

2.º) Que la plaza vacante esté configurada en la relación de puestos de trabajo como laboral. En este sentido, hay que tener en cuenta que, según el art. 10.1 del EBEP, son «*funcionarios interinos*» los que, por razones expresamente justificadas de necesidad y urgencia, «*son nombrados como tales con carácter temporal para el desempeño de funciones propias de funcionarios de carrera*», entre otras razones, por «*la existencia de plazas vacantes, cuando no sea posible su cobertura por funcionarios de carrera*» o «*la sustitución transitoria de los titulares*». De este modo, las vacantes que estén clasificadas como de naturaleza administrativa, hasta su provisión definitiva por personal funcionario de carrera o estatutario, solamente podrán cubrirse provisionalmente por funcionarios interinos y no por contratados laborales. Y, a sensu contrario, se entiende que la figura de los interinos laborales queda reservada para cubrir temporalmente vacantes asignadas al personal laboral en la relación de puestos de trabajo o sustituir a sus titulares.

3.º) Que la plaza vacante esté incluida en la oferta de empleo público. Así lo determina el 70.1 del EBEP cuando dice que «*las necesida-*

---

[17]    SSTS de 21 de marzo de 2005 (Recud. 1198/2004), 29 de junio de 2005 (Recud. 2170/2004) y 11 de abril de 2018 (Recud. 2581/2016).

*des de recursos humanos, con asignación presupuestaria, que deban proveerse mediante la incorporación de personal de nuevo ingreso serán objeto de la Oferta de empleo público, o a través de otro instrumento similar de gestión de la provisión de las necesidades de personal, lo que comportará la obligación de convocar los correspondientes procesos selectivos para las plazas comprometidas y hasta un diez por cien adicional, fijando el plazo máximo para la convocatoria de los mismos».* Por lo tanto, salvo que la vacante sea cubierta a través de concursos de traslado o movilidad interna, es obligación de la Administración incluirla en la oferta anual de empleo como paso previo para su cobertura definitiva.

Ciertamente, el término *«promoción»* no está correctamente utilizado por la propia norma laboral, que debería haberse referido a los procedimientos de promoción interna y de *«provisión de puestos de trabajo»*[18]. Téngase en cuenta a este respecto que, por lo general, según la normativa convencional aplicable, con carácter previo a su inclusión en la oferta de empleo público, las plazas deben ser ofertadas a los trabajadores de la misma categoría o grupo profesional para su cobertura por los procesos de promoción profesional específica o de concurso de traslado, sin que tengan que pasar a la Oferta de Empleo Público. Y, de hecho, el art. 4.2.b) del RD 2720/1998 indica que *«en los procesos de selección llevados a cabo por las Administraciones públicas para la provisión de puestos de trabajo, la duración de los contratos coincidirá con el tiempo que duren dichos procesos conforme a lo previsto en su normativa específica».*

4.º) Que el proceso de selección, promoción interna o provisión de puestos de trabajo esté en marcha al contratarse al trabajador interino, no bastando con que efectivamente exista una vacante para entender cumplidas las exigencias causales. Ciertamente, el art. 4 del RD 2720/1998 establece que se podrá celebrar un contrato de interinidad para cubrir temporalmente un puesto de trabajo durante el proceso de selección o promoción para su cobertura definitiva, añadiendo en el apartado 2, párrafo 6, que *«en los procesos de selección llevados a cabo por las Administraciones públicas para la provisión de puestos de trabajo, la duración de los*

---

[18]  Cfr. las SSTS de 25 de junio de 2019 (Recud. 1349/2015), 19 de septiembre de 2019 (Recud. 94/2018) y 25 de septiembre de 2019 (Recud. 2039/2018).

*contratos coincidirá con el tiempo que duren dichos procesos conforme a lo previsto en su normativa específica».* De todo ello se infiere que la existencia de una convocatoria para la cobertura de la vacante es requisito previo para que una contratación de interinidad por vacante sea conforme con dicha norma.

Sin embargo, la doctrina de suplicación acepta el contrato de interinidad por vacante con enorme flexibilidad. En este sentido, se afirma que la ausencia de convocatoria en el momento inicial de la contratación no determina una falta de causa de la temporalidad que convierta al contratado en indefinido *ab initio*; el contrato de interinidad puede concertarse estando vacante el puesto de trabajo, esté o no convocado en el momento de la contratación, pero condicionando en todo caso su validez a la constancia de que se haya efectuado para cubrir una plaza vacante. En efecto, en lo que no se ha cedido es en la necesidad de que la contratación se produzca para cubrir una plaza vacante preexistente en tanto en cuanto constituye el requisito condicionante de la aceptación de esta modalidad de contratación, dado que en el propio concepto de interinaje se halla inserta la necesidad de una sustitución, como situación vicaria de una titularidad reservada respecto de una plaza vacante preexistente, y todavía no cubierta por los procedimientos reglamentarios. Cuando la contratación temporal versa sobre plazas que todavía no han sido creadas, que no figuran en la relación de puestos de trabajo de la Administración de que se trata y que no pueden ser incluidas en la oferta pública de empleo, se incurre en un evidente fraude de ley. En efecto, la conducta de la empleadora, con apariencia de licitud, posibilita, con cobertura en la normativa legal, la obtención de un resultado no debido ni querido por la misma —tal y como se configura el fraude de ley— y de la que se desprende una anormalidad en el ejercicio del derecho que ha de traducirse, a la postre, en que el contrato temporal deba entenderse —a tenor de lo dispuesto en los arts. 6.4 del Código Civil y 15.3 del ET— celebrado por tiempo indefinido. Carácter indefinido de dicha contratación que exclusivamente supone, desde una perspectiva temporal, que no se encuentre sometida, directa o indirectamente, a un término y que no significa que haya consolidado, al no haber superado antes los procedimientos de selección, una condición de fijeza en plantilla con una adscripción definitiva al puesto de trabajo.

## 2.2. Duración

En el ámbito de las Administraciones Públicas no hay tope concreto de duración para esta modalidad contractual, sino que esta queda referida al *«tiempo que duren dichos procesos conforme a lo previsto en su normativa específica»* [art. 4.2.b) RD 2720/1998]. No obstante, como el art. 70.1 del EBEP establece que *«las necesidades de recursos humanos, con asignación presupuestaria, que deban proveerse mediante la incorporación de personal de nuevo ingreso serán objeto de la Oferta de empleo público, o a través de otro instrumento similar de gestión de la provisión de las necesidades de personal, lo que comportará la obligación de convocar los correspondientes procesos selectivos para las plazas comprometidas y hasta un diez por cien adicional, fijando el plazo máximo para la convocatoria de los mismos»* y que *«en todo caso, la ejecución de la oferta de empleo público o instrumento similar deberá desarrollarse dentro del plazo improrrogable de tres años»*[19], la doctrina jurisprudencial consideró, en aplicación de los arts. 70.1 del EBEP y 4.2.b) del RD 2720/1998, que la relación laboral del trabajador interino por vacante devenía indefinida no fija cuando se superaba el límite temporal máximo de tres años para su cobertura desde que la misma quedase desierta[20].

Sin embargo, a partir de la STS de 24 de abril de 2019 (Recud. 1001/2017) se produjo un giro en la doctrina jurisprudencial, al considerar que el plazo de tres años iba referido a la ejecución de la oferta de empleo público por lo que no podía operar de modo automático[21]. Es

---

[19]   Sobre el carácter esencial del plazo de tres años que establece el art. 70 del EBEP para la ejecución de las ofertas de empleo público y las consecuencias de su incumplimiento, véase el punto 3.2 de la presente lección.

[20]   SSTS de 10 de octubre de 2014 (Recud. 723/2013) y 14 de octubre de 2014 (Recud. 711/2013).

[21]   En el mismo sentido, entre otras muchas, las SSTS de 24 de abril de 2019 (Recud. 1001/2017), 24 de junio de 2020 (Recud. 1186/2018), 16 de julio de 2020 (Recuds. 1754/2018 y 4727/2018), 6 de octubre de 2020 (Recuds. 2734/2018 y 4138/2018), 17 de marzo de 2021 (Recuds. 2271/2019 y 1353/2019), 18 de marzo de 2021 (Recud. 2823/2019), 5 de mayo de 2021 (Recud. 1237/2019) o 18 de mayo de 2021 (Recud. 2585/2019). Cfr. la STJUE de 19 de marzo de 2020 (Asuntos C-103/18 y C-429/18), si bien el Tribunal Supremo considera que tampoco estamos ante un supuesto de sucesivas contrataciones, que pueda activar la aplicación

decir, la superación del plazo previsto en el art. 70.1 del EBEP no determinaba de forma automática la conversión del contrato de interinidad por vacante en indefinido, pues, tal declaración sólo procedía cuando se apreciase la existencia de fraude de ley o abuso en la contratación, máxime si la demora se debía a la crisis económica y a las normas que restringían el gasto público prohibiendo la incorporación de personal nuevo, aunque fuese temporal, y las convocatorias de procesos selectivos para cubrir plazas vacantes, aunque fuese de puestos ocupados interinamente y en proceso de consolidación de empleo.

En definitiva, según la doctrina jurisprudencial, el plazo en cuestión no cabía entenderlo como límite para considerar ajustada a derecho o abusiva la interinidad por vacante. En este sentido, el Tribunal Supremo aducía que el plazo de tres años no podía entenderse como una garantía inamovible, pues, por un lado, la conducta de la empleadora podía abocar a que antes de que transcurriera el mismo se hubiera desnaturalizado el carácter temporal del contrato de interinidad (supuestos de fraude o abuso, frente a los que los tres años no serían en modo alguno un escudo protector que impidiese las consecuencias legales anudadas a tales situaciones). En sentido inverso, el transcurso del plazo de tres años no podía operar de modo automático para destipificar la interinidad por vacante. Era fácil imaginar supuestos (la plaza que se ocupaba había sido ofertada en diferentes y reiterados concursos o procesos de selección sin que la misma fuera cubierta; anulación judicial de la oferta, de convocatorias o de las pruebas; o, incluso, congelación normativa de las ofertas de empleo) en que no podría asignarse tal consecuencia. Por todo ello, eran las circunstancias específicas de cada supuesto las que habían de provocar una u otra conclusión, siempre sobre las bases y parámetros que presiden la contratación temporal.

La STJUE de 19 de marzo de 2020 alertó sobre la imposibilidad de que los contratos de interinidad fraudulentos gozasen de cobertura desde la perspectiva del Acuerdo Marco sobre el trabajo de duración

---

de la doctrina formulada por esta resolución judicial [SSTS de 9 de junio de 2020 (Recud. 4845/2018), 10 de junio de 2020 (Recuds. 2088/2018 y 4455/2018) y 12 de junio de 2020 (Recuds. 3491/2018 y 4841/2018)].

determinada, que figura en el anexo de la Directiva 1999/70/CE del Consejo, de 28 de junio de 1999, relativa al Acuerdo marco de la CES, la UNICE y el CEEP sobre el trabajo de duración determinada, y consideró como fraudulento el hecho de que las vacantes se dilatasen en el tiempo sin que, en plazos razonables se proveyesen las correspondientes convocatorias públicas de empleo. Una situación en la que un empleado público nombrado sobre la base de una relación de servicio de duración determinada —hasta que la plaza vacante para la que fue nombrado fuera provista de forma definitiva— ocupó, en el marco de varios nombramientos o durante un período injustificadamente largo, el mismo puesto de trabajo de modo ininterrumpido durante varios años y desempeñó de forma constante y continuada las mismas funciones, cuando el mantenimiento de modo permanente de dicho empleado público en esa plaza vacante se debía al incumplimiento por parte del empleador de su obligación legal de organizar un proceso selectivo al objeto de proveer definitivamente la mencionada plaza vacante, había de ser considerada como fraudulenta[22]. Pues bien, ese era el criterio que la Sala de lo Social venía aplicando cuando entendía que no había causa ni razón alguna que pudiera justificar la no realización efectiva de las convocatorias públicas de empleo.

En cambio, la doctrina jurisprudencial estimaba que el contrato de interinidad por vacante no podía considerarse fraudulento cuando la Administración demandada estuvo, durante gran parte de la duración del contrato, impedida legalmente para convocar la plaza ocupada interinamente por la grave crisis económica que sufrió España[23]. En este sentido, se subrayaba que esas restrictivas previsiones tenían como uno de sus objetivos cumplir con las exigencias de estabilidad presupuestaria que el Derecho de la UE imponía hasta el extremo de haber obligado a

---

[22]   SSTS de 24 de abril de 2019 (Recud. 1001/2017) y 11 de noviembre de 2020 (Recud. 3032/2018).

[23]   En este sentido, entre otras, las SSTS de 9 de junio de 2020 (Recuds. 326/2019 y 5002/2018), 10 de junio de 2020 (Recuds. 3550/2018 y 4724/2018), 12 de junio de 2020 (Recuds. 3491/2018 y 4841/2018), 24 de junio de 2020 (Recud. 1186/2018), 16 de julio de 2020 (Recuds. 1754/2018 y 4727/2018) y 2 de diciembre de 2020 (Recud. 4494/2018).

una reforma constitucional (art. 135 CE). Y el propio Derecho primario de la UE sentaba las bases de esa exigencia en los arts. 121 (supervisión multilateral) y 126 del TFUE (procedimiento aplicable en caso de déficit excesivo), y en el Protocolo (n.º 12) sobre el procedimiento aplicable en caso de déficit excesivo. Este canon hermenéutico, por tanto, había de ser especialmente considerado cuando se abordaban cuestiones como la presente, donde entraban en juego previsiones de Derecho comunitario. Si, con ese importantísimo apoyo normativo, no cabía la convocatoria de plazas durante diversos ejercicios y se trataba de un periodo que afectaba al caso, no cabía hablar de incumplimiento por parte de la entidad empleadora. No se podía suscribir la tesis de que el art. 70 del EBEP quedaba incólume porque ninguna referencia se contenía al mismo en tales normas de restricción presupuestaria.

Con independencia de otros factores que pudieran haber incidido en la extensión temporal de la prestación de servicios correspondientes a la plaza vacante, la autonomía colectiva también podía ejercer cierta influencia sobre ese dato, ya que, en cuanto al orden y prelación de los sistemas de cobertura de las vacantes por medio de concursos de traslados y méritos, promoción interna y/o ingreso libre, había de estarse a lo dispuesto en la correspondiente norma convencional[24]. La propia Directiva 1999/70 concede un papel importante a los acuerdos que puedan celebrarse entre los interlocutores sociales a la hora de trasponer su contenido (art. 2º). Es más, el propio Acuerdo manifiesta que «*no limita el derecho de los interlocutores sociales a celebrar convenios, al nivel apropiado, incluido el nivel europeo, que adapten o complementen sus disposiciones de manera que tengan en cuenta las necesidades específicas de los interlocutores sociales afectados*» (cláusula 8.4).

Por todo ello, el Tribunal Supremo concluía que el que durante la etapa de severa recesión económica, con normas impidiendo la convocatoria de plazas a fin de cumplir con las exigencias comunitarias de la estabilidad presupuestaria, no se activara durante tres años la convocatoria de una plaza de empleo público, distaba de ser algo injustificado; desde

---

[24]  STS de 15 de enero de 2019 (Recud. 212/2017).

luego, tampoco podía considerarse que ello comportase una duración «inusualmente larga», en cualquiera de las acepciones de la locución.

Además, el Tribunal Supremo consideraba que tampoco estábamos ante un supuesto de sucesivas contrataciones, que pudiera activar la aplicación de la doctrina formulada por la STJUE de 19 de marzo de 2020 (Asuntos C-103/18 y C-429/18)[25]. A este respecto, se señalaba que la cláusula 5ª de la Directiva opera cuando ha habido sucesivos nombramientos (al menos dos), sea expresos, sea por tácita reconducción y ninguna de ambas variantes acaecía en estos casos. Adicionalmente, se aducía que el entendimiento que del art. 70 del EBEP asume el TJUE (acorde con el de los autos que plantean las cuestiones prejudiciales) no es el que ha considerado acertado, coincidiendo en ello con el criterio de la Sala de lo Contencioso del Tribunal Supremo. Es decir, se entendía que la mayor parte de las reflexiones que contiene la STJUE de 19 de marzo de 2020 se cimentan en una interpretación de la norma nacional que no era la preponderante en nuestra jurisprudencia.

Pero la jurisprudencia del orden social acaba de cambiar nuevamente de criterio. En este sentido, la sentencia de 28 de junio de 2021, dictada por el Pleno de la Sala de lo Social del Tribunal Supremo en recurso de casación para la unificación de doctrina núm. 3263/2019, a la vista de la STJUE de 3 de junio de 2021 (Asunto C-726/19), que establece que las consideraciones económicas, relacionadas con la crisis económica de 2008, no pueden justificar la inexistencia, en el Derecho nacional, de medidas destinadas a prevenir y sancionar la utilización sucesiva de contratos de trabajo de duración determinada, «*estima que, salvo muy contadas y limitadas excepciones, los procesos selectivos no deberán durar más de tres años a contar desde la suscripción del contrato de interinidad, de suerte que si así sucediera estaríamos en presencia de una duración injustificadamente larga*» y que, por consiguiente, la relación laboral entre las partes debería ser considerada de carácter indefinida no fija. A este respecto, el Tribunal Supremo expone el siguiente razonamiento: «*Dicho plazo es*

---

[25]    En este sentido, las SSTS de 9 de junio de 2020 (Recud. 4845/2018), 10 de junio de 2020 (Recuds. 2088/2018 y 4455/2018) y 12 de junio de 2020 (Recuds. 3491/2018 y 4841/2018).

*el que mejor se adecúa al cumplimento de los fines pretendidos por el mencionado Acuerdo Marco sobre contratación determinada y con el carácter de excepcionalidad que la contratación temporal tiene en nuestro ordenamiento jurídico. En efecto, ese plazo de tres años es o ha sido utilizado por el legislador en bastantes ocasiones y, objetivamente, puede satisfacer las exigencias que derivan del apartado 5 del reiterado Acuerdo Marco sobre el trabajo de duración determinada. Así, ese es el límite general que tienen los contratos para obra o servicio determinado [artículo 15.1.a) ET]; constituye, también, el límite máximo de los contratos temporales de fomento al empleo para personas con discapacidad (Ley 44/2006, de 29 de diciembre) y ha sido usado por el legislador en otras ocasiones para establecer los límites temporales de la contratación coyuntural. Por otro lado, tres años es el plazo máximo en el que deben ejecutarse las ofertas de empleo público según el artículo 70 EBEP».* En cualquier caso, la indicación de tal plazo de tres años *«no significa, en modo alguno, que, en atención a diversas causas, no pueda apreciarse con anterioridad a la finalización del mismo la irregularidad o el carácter fraudulento del contrato de interinidad»,* ni *«que, de manera excepcional, por causas extraordinarias cuya prueba corresponderá a la entidad pública demandada, pueda llegar a considerarse que esté justificada una duración mayor».* De este modo, al concurrir los requisitos necesarios para aplicar analógicamente la nueva regulación prevista para los nombramientos de los funcionarios interinos por vacante, el trabajador interino por vacante podrá permanecer en la plaza que ocupa temporalmente hasta la resolución de la convocatoria, aunque se supere el plazo de tres años previsto en el art. 70.1 del EBEP, siempre que la convocatoria se haya publicado en el indicado plazo, o hasta que la plaza sea cubierta finalmente si ha sido ofertada en diferentes y reiterados concursos o procesos de selección que han quedado desiertos, en cuyo caso deberán celebrarse nuevos contratos de interinidad por vacante. En cualquier caso, el legislador de 2021 debería haber abordado expresamente esta cuestión y no dejarla al criterio de los Tribunales.

Por lo demás, los contratos de interinidad por vacante en las entidades públicas empresariales, sociedades mercantiles y fundaciones de carácter público también están sometidos al plazo de tres años del art. 70 del EBEP. Ciertamente, estas entidades deben realizar procesos de selección que respeten los principios de publicidad, igualdad, mérito y capacidad (DA 1.ª EBEP y DA 43.ª LPGE/2018), lo que excluye la aplicación del «*plazo máximo de tres meses fijado para las empresas privadas*», pues «*la sujeción a dicho plazo en la práctica imposibilitaría que pudieran realizar los procesos de selección con las necesarias garantías*», tal y como ha subrayado el Tribunal Supremo en reiteradas ocasiones[26].

---

[26]    Cfr. las SSTS de 16 de mayo de 2005 (Recud. 2646/2004), 11 de abril de 2006 (Recud. 1262/2004), 11 de abril de 2006 (Recud. 1387/2004), 30 de mayo de 2006 (Recud. 1709/2005), 14 de junio de 2006 (Recud. 4413/2004), 25 de septiembre de 2006 (Recud. 2743/2005), 18 de diciembre de 2006 (Recud. 3321/2005), 18 de diciembre de 2006 (Recud. 2901/2005), 26 de diciembre de 2006 (Recud. 3563/2005), 26 de diciembre de 2006 (Recud. 4174/2005), 4 de junio de 2008 (Recud. 4737/2006) y 9 de julio de 2007 (Recud. 3167/2006), 27 de abril de 2021 (Recud. 618/2020) y 14 de mayo de 2021 (Recud. 3283/2018).

# Capítulo Segundo

# El acceso del personal interino

## I. REQUISITOS PARA EL ACCESO A LA CONDICIÓN DE INTERINO

### 1. *Requisitos generales*

Para poder participar en los procesos selectivos, independientemente del carácter funcionarial/laboral o fijo/temporal de los mismos, los aspirantes deben reunir los requisitos que con carácter general se exigen en los arts. 56 y 57 del EBEP.

Dichos requisitos son los siguientes (art. 56.1 EBEP): 1.º) La nacionalidad española o asimilada. 2.º) La capacidad funcional para el desempeño de las tareas. 3.º) Edad no inferior a dieciséis años ni superior a la de jubilación forzosa. 4.º) No haber sido separado del servicio ni inhabilitado. 5.º) Poseer la titulación exigida.

### 1.1. Nacionalidad

El acceso de los extranjeros al empleo público funcionarial sólo se permite cuando se trate de empleos o puestos de trabajo que no impliquen «*una participación en el ejercicio del poder público o en las funciones que tienen por objeto la salvaguardia de los intereses del Estado o de las Administraciones Públicas*». Además, se ciñe en favor de: 1.º) Los nacionales de los Estados miembros de la Unión Europea (art. 57.1 EBEP). 2.º) El cónyuge de los españoles y de los nacionales de otros Estados miembros de la Unión Europea, siempre que no estén separados de derecho, y sus descendientes y los de su cónyuge siempre que no estén separados de derecho, sean menores de veintiún años o mayores de dicha edad dependientes (art. 57.2 EBEP). 3.º) Las personas incluidas en el ámbito de aplicación de los Tratados Internacionales celebrados por la Unión Europea y ratificados por España en los que sea de aplicación la libre circulación de trabajadores (art. 57.3 EBEP). Sólo por ley de las Cortes Generales o de las asambleas legislativas de las Comunidades Autónomas podrá eximirse del requisito de la nacionalidad española o comunitaria *«por razones de interés general para el acceso a la condición de personal funcionario»* (art. 57.5 EBEP).

El régimen jurídico del acceso al empleo público laboral se contiene en el art. 57.4 del EBEP, a cuyo tenor *«los extranjeros a los que se refieren los apartados anteriores, así como los extranjeros con residencia legal en España podrán acceder a las Administraciones Públicas, como personal laboral, en igualdad de condiciones que los españoles».* De este modo, pueden ingresar como personal laboral en las Administraciones Públicas: 1.º) Los españoles [art. 56.1.a) EBEP]. 2.º) Los nacionales de los Estados miembros de la Unión Europea (art. 57.1 EBEP). 3º) Con independencia de su nacionalidad, el cónyuge de los españoles y de los nacionales de otros Estados miembros de la Unión Europea, siempre que *«no estén separados de derecho y a sus descendientes y a los de su cónyuge siempre que no estén separados de derecho, sean menores de veintiún años o mayores de dicha edad dependientes»* (art. 57.2 EBEP). 4.º) Las personas incluidas en el ámbito de aplicación de los Tratados Internacionales celebrados por la Unión Europea y ratificados por España en los que sea de aplicación la libre circulación de trabajadores (art. 57.3 EBEP). 5.º) Los extranjeros no comunitarios con residencia legal en España (art. 57.4 EBEP).

## 1.2. Capacidad funcional

Los aspirantes al empleo público temporal deben *«poseer la capacidad funcional para el desempeño de las tareas»* [art. 56.1.b) EBEP]. A fin de verificar dicha capacidad, *«podrán exigirse reconocimientos médicos»* (art. 61.5 EBEP). Además, no podrán ser funcionarios y quedarán sin efecto *«las actuaciones relativas a quienes no acrediten, una vez superado el proceso selectivo, que reúnen los requisitos y condiciones exigidos en la convocatoria»* (art. 62.2 EBEP). En definitiva, este conjunto de disposiciones presta cobertura a la posibilidad, a efectos de acreditar el cumplimiento de este requisito, de exigir reconocimientos médicos[27].

## 1.3. Edad

El art. 56.1.c) del EBEP preceptúa que para que los aspirantes puedan participar en los procesos selectivos deben «*tener cumplidos dieciséis años y no exceder, en su caso, de la edad máxima de jubilación forzosa*» y que «*sólo por ley podrá establecerse otra edad máxima, distinta de la edad de jubilación forzosa, para el acceso al empleo público*». Y es que, como subraya la STC 75/1983, de 3 de agosto, «*la edad es en sí un elemento diferenciador*» y «*será legítima una decisión legislativa que, atendiendo a ese elemento diferenciador y a las características del puesto de trabajo de que se trate, fije objetivamente límites de edad que suponga, para los que la hayan rebasado, la imposibilidad de acceder a estos puestos*»[28]. Por lo demás, como el art. 67.3 del EBEP prevé la jubilación forzosa de los funcionarios públicos a los 65 años, los ciudadanos que han superado dicha edad no pueden acceder a los puestos funcionariales. Sin embargo, el límite de edad máxima establecido en el antecitado precepto se refiere sólo a los funcionarios, aunque la DA 10.ª del ET, en su nueva redacción dada por la DF 1.ª del Real Decreto-ley 28/2018, de 28 de diciembre, vuelve a admitir la validez de las cláusulas convencionales que posibiliten la extinción del contrato de trabajo por el cumplimiento por parte del trabajador de la edad ordinaria de jubilación fijada en la normativa de Seguridad Social.

## 1.4. No haber sido separado del servicio ni inhabilitado

Para poder participar en los procesos selectivos será necesario «*no haber sido separado mediante expediente disciplinario del servicio de cualquiera de las Administraciones Públicas o de los órganos constitucionales o estatuta-*

---

[27]   Cfr. la STS (CA) de 17 de julio de 1998 (Rec. 7517/1992).

[28]   Cfr. las SSTJUE de 13 de noviembre de 2014 (Asunto C-416/13), 15 de noviembre de 2016 (Asunto C-258/15) y 2 de abril de 2020 (Asunto C-670/18).

*rios de las Comunidades Autónomas, ni hallarse en inhabilitación absoluta o especial para empleos o cargos públicos por resolución judicial, para el acceso al cuerpo o escala de funcionario, o para ejercer funciones similares a las que desempeñaban en el caso del personal laboral, en el que hubiese sido separado o inhabilitado»* [art. 56.1.d) EBEP]. En el caso de ser nacional de otro Estado, es necesario *«no hallarse inhabilitado o en situación equivalente ni haber sido sometido a sanción disciplinaria o equivalente que impida, en su Estado, en los mismos términos el acceso al empleo público»*. En todo caso, debe tratarse de una separación del servicio o de despido o de una inhabilitación mediante resolución administrativa o judicial firmes.

## 1.5. Titulación

Los aspirantes para acceder al empleo público temporal también deben *«poseer la titulación exigida»* [art. 56.1.d) EBEP][29]. Las titulaciones generales o específicas que se exijan, en la medida en que constituyen un requisito asociado con la capacidad de los aspirantes, deben estar relacionadas con las tareas de los puestos de trabajo convocados. Por ello, la STS de 6 de febrero de 1987 considera que la ausencia del título exigido en la convocatoria, aun cuando se esté en posesión de otro de naturaleza superior, implica la expulsión de los opositores que pretendan acceder a los puestos de trabajo convocados.

## 2. *Requisitos específicos*

De acuerdo con el art. 56.3 del EBEP, *«podrá exigirse el cumplimiento de otros requisitos específicos que guarden relación objetiva y proporcionada con las funciones asumidas y las tareas a desempeñar»* y que, además,

---

[29]   Los títulos universitarios de Grado en Ingeniería Civil y en Ingeniería Civil y Territorial no habilitan para el acceso a la Bolsa de Trabajo para la provisión, mediante el nombramiento de funcionarios interinos, de plazas de Ingeniero de Caminos, Canales y Puertos, sino que debe estarse a la titulación necesaria para el ejercicio de esta profesión regulada [STS (CA) de 25 de septiembre de 2019 (Rec. 1923/2017)].

*«habrán de establecerse de manera abstracta y general»*. A mayor abundamiento, de conformidad con la doctrina constitucional, los requisitos
específicos deben guardar relación con los principios constitucionales de
mérito y capacidad que han de presidir la selección de los empleados públicos. Y así, respetando las tres exigencias reseñadas, las Administraciones Públicas pueden requerir específicos complementos de formación o
determinadas condiciones físicas, por ejemplo[30].

## 3. *El conocimiento de las lenguas oficiales*

El art. 56.2 del EBEP establece que *«las Administraciones Públicas,
en el ámbito de sus competencias, deberán prever la selección de empleados
públicos debidamente capacitados para cubrir los puestos de trabajo en las Comunidades Autónomas que gocen de dos lenguas oficiales»*. Dicho precepto,
interpretado a la luz de la doctrina constitucional sobre la posibilidad
de valorar como mérito o requisito el conocimiento de las distintas lenguas oficiales del Estado español para ingresar en la función pública[31],
habilita a las Administraciones Públicas a valorar como mérito el conocimiento de la lengua vernácula cuando se trate de puestos de trabajo
que impliquen una relación directa con el público y la puntuación que se
otorgue a dicho mérito sea proporcionada en atención a las funciones y
tareas a desarrollar, o incluso a exigirlo como un requisito de capacidad

---

[30] La Directiva 76/207/CEE del Consejo, de 9 de febrero de 1976, relativa a la aplicación del principio de igualdad de trato entre hombres y mujeres en lo que se
refiere al acceso al empleo, a la formación y a la promoción profesionales, y a las
condiciones de trabajo, se opone a una normativa de un Estado miembro que
supedita la admisión de los candidatos al concurso para el ingreso en la Escuela
de Policía de dicho Estado miembro, independientemente de su sexo, a un requisito de estatura física mínima de 1,70 m, toda vez que esa normativa supone una
desventaja para un número mucho mayor de personas de sexo femenino que de
sexo masculino y que la citada normativa no parece adecuada ni necesaria para
alcanzar el objetivo legítimo que persigue, circunstancia que corresponde al órgano
jurisdiccional remitente comprobar [STJUE de 18 de octubre de 2017 (Asunto
C-409/16)].

[31] SSTC 205/1990, de 13 de diciembre; 46/1991, de 28 de febrero; y 165/2013 de 26
de septiembre.

para acceder al empleo público, siempre y cuando el conocimiento exigido sea racional y proporcionado en atención a las funciones a desempeñar por el empleado público[32].

# II. LOS SISTEMAS SELECTIVOS

## 1. Personal funcionario interino

Los procedimientos de selección de los funcionarios interinos «*serán públicos, rigiéndose en todo caso por los principios de igualdad, mérito, capacidad y celeridad, y tendrán por finalidad la cobertura inmediata del puesto*» (art. 10.2 EBEP, en su nueva redacción dada por el art. 1.1 RD-l 14/2021). El nombramiento derivado de estos procedimientos de selección «*en ningún caso dará lugar al reconocimiento de la condición de funcionario de carrera*». Es decir, se refuerza la nota de temporalidad al descartar cualquier expectativa de permanencia, tal y como se subraya en el preámbulo del RD-l 14/2021.

El art. 27.1 del RGI y la Orden APU/1461/2002, de 6 de junio, establecen las normas para la selección y nombramiento de personal funcionario interino en la Administración General del Estado.

## 2. Personal laboral interino

En el EBEP no existía ninguna previsión específica sobre la selección del personal laboral temporal. Por ello, el art. 1.2 del RD-l 14/2021 ha incorporado un tercer apartado en el art. 11 del EBEP, a cuyo tenor «*los procedimientos de selección del personal laboral serán públicos, rigiéndose en todo caso por los principios de igualdad, mérito y capacidad*» y «*en el caso del personal laboral temporal se regirá igualmente por el principio de celeridad, teniendo por finalidad atender razones expresamente justificadas de necesidad y urgencia*».

---

[32]   Cfr. STS (CA) de 16 de mayo de 1989 (RJ/3698).

Por su parte, el art. 35 del RGI se limita a señalar que los contratos laborales temporales se celebrarán «*conforme a los principios de mérito y capacidad, y ajustándose a las normas de general aplicación en la contratación de este tipo de personal laboral y de acuerdo con los criterios de selección que se determinen por el Ministerio para las Administraciones Públicas de acuerdo con los criterios de selección que se determinen por el Ministerio para las Administraciones Públicas*».

En el ámbito de las Comunidades Autónomas se detectan las siguientes líneas de tendencia: a) Algunas leyes autonómicas de función pública guardan silencio a propósito de la selección del personal laboral temporal o se limitan a indicar que la misma deberá respetar los principios de publicidad, igualdad, mérito y capacidad, sin especificar los sistemas selectivos a utilizar. b) Otras leyes autonómicas determinan que la selección del personal laboral no permanente, para el desempeño de funciones laborales, se realizará mediante convocatoria pública y concurso, salvo en los casos de urgencia declarada. c) Un tercer grupo de leyes determina que la selección del personal temporal se efectuará mediante convocatoria pública y a través de pruebas basadas en los principios de mérito y capacidad, o mediante valoración de méritos y, en su caso, superación de pruebas objetivas, en convocatoria pública de libre concurrencia. d) Un cuarto grupo de leyes autonómicas determina que la selección del personal laboral temporal se realizará mediante convocatoria pública que garantice los principios enunciados en los arts. 23.1 y 103.3 de la Constitución, si bien excepcionalmente, por causa de urgencia apreciada por la Administración, se podrá contratar personal laboral temporal directamente, sin necesidad de convocatoria, recurriendo a una bolsa de personal, o mediante un sistema de bolsas o listas abiertas y públicas, que garantizando los principios de igualdad, mérito y capacidad y publicidad, posibiliten la necesaria agilidad, racionalidad, objetividad y transparencia en la selección, pudiéndose acudir excepcionalmente al Servicio Público de Empleo.

Finalmente, los arts. 103 de la LBRL y 177 del Real Decreto Legislativo 781/1986, de 18 de abril, por el que se aprueba el Texto Refundido de las disposiciones legales vigentes en materia de Régimen Local (TRRL), tampoco se detienen en regular el procedimiento para la selección de personal laboral de duración determinada en las Administraciones Locales, limitándose a establecer que la selección de éste (sin matizaciones en función de la duración del contrato) debe efectuarse *«con el máximo respeto al principio de igualdad de oportunidades de cuantos reúnan los requisitos exigidos»* (art. 103 LBRL) y ateniéndose, naturalmente, a los principios constitucionales de igualdad, mérito y capacidad, así como al de publicidad (según recoge, con carácter general el art. 91.2 de la misma LBRL).

De este modo, se deja en libertad a las Administraciones Públicas para utilizar cualesquiera de los sistemas selectivos clásicos —lo que en la práctica se traduce en el recurso al más rápido y ágil de todos ellos (el concurso de méritos)—, o establecer otros sistemas distintos, más ágiles y flexibles, pero siempre y cuando se ajusten a las exigencias de igualdad, mérito y capacidad. Y así, aquellas pueden recurrir al sistema de las «bolsas de trabajo» o «listas de espera». Sistema que les permite conciliar los principios constitucionales de eficacia administrativa, de un lado, y de igualdad, mérito, capacidad y publicidad en el acceso al empleo público, de otro. En cambio, la selección directa a partir de la lista remitida por el Servicio Público de Empleo Estatal, previa solicitud por parte del órgano administrativo competente, quien decide también el perfil de los candidatos a incluir en la lista, difícilmente puede considerarse compatible con los principios constitucionales de mérito y capacidad. Y lo mismo cabe decir, y con mayor razón, respecto de la libre designación por parte del órgano administrativo competente, a partir de los criterios objetivos, fijados sobre la marcha por el propio órgano y quizás con la intervención de la representación de los trabajadores, y sin la publicidad adecuada.

En fin, el art. 37.1.c) del EBEP incluye en la esfera de lo negociable *«las normas que fijen los criterios generales en materia de acceso, carrera, provisión…».* Referencias que hay que poner en relación con los regímenes previstos en los Capítulos II del Título III, I del Título IV y III del Título V del EBEP.

# III. LAS BOLSAS DE TRABAJO

El sistema de las bolsas de trabajo o listas de espera consiste en la cobertura de las plazas vacantes mediante la designación de los candidatos siguiendo el orden en el que figuran los distintos candidatos ordenados jerárquicamente en función de la puntuación obtenida tras aplicar el baremo previsto en la normativa aplicable.

## 1. Creación

La creación de las bosas de trabajo puede articularse a través de la autonomía colectiva y, en su defecto, por decisión unilateral de la Administración Pública. Se pueden crear a través de los pactos, acuerdos, convenios colectivos o los acuerdos de consultas alcanzados en el marco de los procedimientos de despido colectivo.

## 2. Gestión

Corresponde a la Administración Pública confeccionar la lista de espera, resolver sobre la admisión y remisión de los candidatos, adjudicar los números de orden y, finalmente, determinar el candidato a contratar. Los representantes de los trabajadores no pueden tener una participación decisoria en los tribunales y comisiones que gestionan las bolsas de trabajo. Pero sí pueden formar parte de las comisiones de seguimiento encargadas de fiscalizar la actividad del servicio gestor, controlando que elaboración de las listas de espera o bolsas de trabajo se realice de conformidad con el baremo establecido en las bases de la convocatoria y que la adjudicación de las ofertas de trabajo se lleva a cabo respetando el orden en que figuran los candidatos en la bolsa de trabajo[33]. La información sobre la lista de miembros de las bolsas de empleo que la empresa debe poner a disposición del comité de empresa y de los delegados sindicales

---

[33]    Cfr. la STS de 5 de octubre de 2016 (Rec. 280/2015).

para que puedan comprobar que se guarda el turno de llamamientos por orden de puntuación, no viola la protección de datos[34].

## 3. Baremo

La Administración debe ordenar jerárquicamente a los candidatos en función de la puntuación obtenida tras aplicar el baremo previsto en la normativa aplicable. Dicho baremo debe establecerse de acuerdo con los principios de igualdad, mérito y capacidad[35]. Además, se deberá garantizar la publicidad de las convocatorias para acceder a las bolsas de empleo y de sus bases [art. 55.1.a) EBEP], siguiendo a tales efectos el régimen jurídico aplicable a las convocatorias de los procesos selectivos para el acceso a las plazas vacantes que deban cubrirse con personal laboral fijo de nuevo ingreso, ya que no estamos ante un caso de urgencia ni una situación excepcional.

## 4. Dinámica de las bolsas de trabajo

Cuando la contratación temporal ha de llevarse a cabo a través de las correspondientes bolsas de trabajo, cuya constitución corresponde a la Administración, esta debe adjudicar las ofertas de trabajo entre los candidatos que figuran en la bolsa de trabajo y conforme al orden de la lista, no pudiendo contratar directamente con quien estime pertinente ni establecer una preferencia absoluta en favor de interinos con plaza amortizada, alegando, por ejemplo, razones de urgencia, la falta de constitución de la bolsa de trabajo, la modificación de la RPT o el límite al

---

[34]    STS de 21 de diciembre de 2015 (Rec. 56/2015).

[35]    El criterio de desempate en el orden de prelación de los interinos, dando prevalencia a la calificación obtenida en la fase de oposición frente a la experiencia en la Administración como interino, es respetuoso con los principios objetivables de acceso a la función pública (mérito y capacidad) y puede ampararse en criterios de legalidad comportando una individualización del mérito y capacidad proclamado en el art. 23 de la CE [Cfr. SSTS de 7 de octubre de 2014 (Rec. 1650/2013), 20 de marzo de 2015 (Rec. 1718/2014) y 8 de julio de 2015 (Rec. 1452/2014)].

encadenamiento de los contratos temporales con un mismo trabajador previsto en el art. 15.5 y en la DA 15.ª.3 del ET[36].

Las bolsas quedan constituidas por los aspirantes ordenados de mayor a menor puntuación según los méritos alegados y probados por los mismos, y funcionan con carácter rotativo pasando los trabajadores a ocupar el último puesto de las bolsas una vez agotado el contrato de trabajo que en su caso se oferte —criterio organizativo de funcionamiento que no vulnera el art. 103.3 de la Constitución Española, ya que para la constitución de las bolsas de trabajo se deben tener en cuenta los principios de mérito y capacidad—. De este modo, cuando se produce un cese derivado del llamamiento desde una bolsa de trabajo debe agotarse la misma comenzándose de nuevo una vez llagados hasta el final de la bolsa.

A mayor abundamiento, las bolsas de trabajo no pueden tener una duración indefinida, pues ello sería contrario a la posibilidad de que los terceros demostrasen el mérito y capacidad propios en relación con las plazas que vayan quedando vacantes. De este modo, con la periodicidad que marque la normativa que sea de aplicación, se debe proceder a la elaboración de nuevas bolsas de trabajo. En defecto de previsión en dicha normativa, la Administración Pública es libre de decidir, conforme a sus facultades discrecionales de autoorganización, la convocatoria de un nuevo proceso selectivo para la contratación y confeccionar una nueva bolsa de trabajo. Por último, la bolsa de trabajo es una forma de reclutar el personal necesario y el proceso de selección un método para buscar al trabajador más capacitado, circunstancias que no eximen del cumplimiento de los requisitos exigidos por el tipo contractual elegido. Y así, la sustitución de los trabajadores indefinidos no fijos por trabajadores pertenecientes a una bolsa de trabajo constituye un despido improcedente, máxime si aquellos no estaban incluidos en dicha bolsa[37].

---

[36]  STS (CA) de 14 de octubre de 2002 (Rec. 7688/1998) y STS (Social) de 28 de abril de 2015 (Rec. 90/2014).
[37]  STS de 18 de septiembre de 2014 (Recud. 2323/2013).

## 5. La posición jurídica de la persona inscrita en la bolsa de trabajo

El hecho de pertenecer y estar integrado en una bolsa de trabajo para poder ser llamado por la Administración en caso de necesidades de personal no supone un automático derecho a ser llamado, a ser contratado en todo caso. En efecto, la previsión de bolsas de trabajo «*no determina la obligación de ofertar las plazas vacantes, que además pueden estar sometidas a limitaciones como consecuencia de restricciones presupuestarias, citando a este respecto el art. 24.2 de las normas de ejecución presupuestaria de los años 2010 y 2011 y el art. 23.2 de la Ley de Presupuestos Generales del Estado para 2011*»[38]. De este modo, el trabajador incluido en la bolsa de empleo sólo tiene una expectativa de derecho a ser llamado en caso de que concurran las circunstancias y condiciones correspondientes establecidas en las bases de la convocatoria y materializadas en el momento de producirse la necesidad de personal para llevar a cabo el servicio público de que se trate[39].

El trabajador preterido en el llamamiento tiene derecho a la reparación de los daños y perjuicios, que lógicamente ha de ser integral, conforme prevén los arts. 1.101 y concordantes del Código Civil. Esa reparación implica no sólo el pago de los salarios dejados de percibir y el cómputo del período que debió haber trabajado a efectos de la antigüedad (por ser este un derecho inherente a la prestación de servicios de que fue privado el trabajador). En efecto, el derecho a las prestaciones futuras de Seguridad Social también queda mermado a causa de la ausencia de cotizaciones durante el período en que debió ser contratado, por lo que procede declarar la efectividad de dicho período a tales efectos. En definitiva, los trabajadores excluidos de la bolsa tienen derecho a una indemnización por el lucro cesante derivado de la exclusión de la

---

[38] STS de 12 de febrero de 2014 (Rec. 72/2013).

[39] La mujer que ha generado un derecho a ser contratada, pero no puede realizar la actividad objeto del contrato precisamente por su condición de embarazada en situación de riesgo, se encuentra en una «situación conexa» a la actividad ex art. 7.1 del RD 84/1996, de 26 de enero, por el que se aprueba el Reglamento General sobre inscripción de empresas y afiliación, altas, bajas y variaciones de datos de trabajadores en la Seguridad Social, por lo que procede darla de alta en la Seguridad Social [STS (CA) de 26 de febrero de 2018 (Rec. 1306/2017)].

bolsa —los salarios dejados de percibir por mor del decaimiento de la lista de contratación, aunque exclusivamente limitados a los períodos en que hubiesen sido contratados trabajadores con inferior puntuación en la lista— y por el daño hipotético derivado de la pérdida de oportunidades para participar en la convocatoria de puestos de carácter fijo[40], sin detraer de la misma las cantidades percibidas en concepto de prestaciones por desempleo[41]. Además, tienen derecho a ser reintegrados en la lista o bolsa de contratación temporal de la entidad, computando el período que debieron haber trabajado a efectos de mérito para futuras contrataciones[42].

En cualquier caso, es necesario que en la demanda se aleguen las bases y elementos clave de la indemnización. A mayor abundamiento, el daño tiene que ser efectivo y esa efectividad sólo surge de la contratación durante el período de referencia de otros aspirantes en peor posición que el actor. Y, en fin, la obligación de acreditar los daños y perjuicios sufridos recae en la persona que reclama su resarcimiento.

La petición de daños y perjuicios contra las Administraciones por incumplir el orden de prelación fijado en las listas que rigen las contrataciones temporales corresponde a la jurisdicción contencioso-administrativo, y no a la social. Esta regla tiene, no obstante, una excepción que es la de las entidades públicas empresariales y sociedades mercantiles públicas, en cuyo caso la competencia es del orden social de la jurisdicción. La cuantificación de la indemnización corresponde al juzgador de instancia, atendidas las circunstancias del caso, sin que pueda ser revisada en el recurso, salvo que sea manifiestamente irrazonable o arbitraria.

---

[40]   SSTS de 17 de junio de 2008 (Recud. 2862/2007), 2 de abril de 2007 5085/2005, 30 de octubre de 2007 (Recuds. 4295/2005, 3503/2006 y 5101/2005), 31 de octubre de 2007 (Recuds. 647/2006 y 2531/2006), 6 de noviembre de 2007 (Recud. 3876/2005), 17 de enero de 2008 (Recud. 2607/2006), 22 de enero de 2008 (Recud. 1710/2006), 26 de abril de 2010 (Recud. 1912/2009), 19 de julio de 2010 (Recud. 540/2009) y 16 de octubre de 2012 (Recud. 281/2012).

[41]   SSTS de 19 de julio de 2010 (Rec. 540/2009), 28 de noviembre de 2011 (Recud. 188/2011) y 2 de abril de 2019 (Recud. 433/2018).

[42]   En sentido contrario, las SSTS de 23 de marzo de 2011 (Recud. 2690/2010) y 26 de abril de 2016 (Recud. 2061/2014).

Por lo demás, es válida la exclusión de la Bolsa de Empleo por la evaluación de desempeño negativa llevada a cabo conforme al procedimiento establecido en la norma convencional aplicable[43]. Y, en fin, la Administración Pública no puede dejar sin efecto de oficio el contrato de trabajo celebrado por error sin la previa declaración de lesividad[44].

Por último, los reglamentos de las bolsas de trabajo contemplan los motivos de exclusión de las mismas (verbigracia, rechazar una o varias ofertas de trabajo de la bolsa, obtener una plaza fija tras superar el proceso selectivo, recibir uno o varios informes negativos respecto a su actitud profesional y/o falta de cualificación profesional, etc.). Ahora bien, la carga de la prueba sobre la ineptitud del trabajador corresponde a la Administración Pública[45]. Por lo demás, como subraya la STS (CA) de 21 de noviembre de 2017 (Rec. 2996/2016) en relación a funcionarios ya integrados definitivamente en la bolsa de trabajo, que han superado el período de prácticas y, por tanto, han acreditado su capacidad, que la exclusión de la bolsa de trabajo carece de la más mínima proporcionalidad, pues impide que el funcionario interino pueda ser nombrado para otro puesto de trabajo en el que no se observe aquel desajuste.

## 6. El orden competente para conocer los conflictos jurídicos que se susciten en relación con las bolsas de trabajo

La competencia para conocer de los litigios sobre la elaboración de las listas de espera o preferencias en la contratación temporal de las personas incluidas en las bolsas de empleo de las entidades que forman

---

[43]    STS de 6 de mayo de 2020 (Recud. 225/2018). En cambio, la STS (CA) de 21 de noviembre de 2017 (Rec. 2996/2016) considera en relación a funcionarios ya integrados definitivamente en la bolsa de trabajo, que han superado el período de prácticas y, por tanto, han acreditado su capacidad, que la exclusión de la bolsa de trabajo carece de la más mínima proporcionalidad, pues impide que el funcionario interino pueda ser nombrado para otro puesto de trabajo en el que no se observe aquel desajuste.

[44]    Cfr. las SSTS de 24 de febrero de 2014 (Recud. 1112/2013) y 25 de marzo de 2014 (Recud. 1281/2013).

[45]    STSJ de la Comunidad de Madrid de 28 de septiembre de 2011 (Rec. 6492/2010).

parte del sector público administrativo corresponde al orden contencio-so-administrativo.


## 6.1. La elaboración de las listas de espera o bolsas de trabajo

Como subraya la STS de 17 de mayo de 2010 (Rec. 123/2009), la constitución de las listas o bolsas de trabajo requiere «*de forma imperiosa, en primer lugar, la culminación definitiva de un proceso previo de selección del personal fijo, proceso éste de evidente naturaleza administrativa, para después, a la vista de su resultado, proceder a la elaboración de aquellas listas, pero no con carácter o periodicidad inmediata sino según las necesidades de cobertura de puestos para cada categoría profesional*». Es evidente, pues, que esos dos condicionantes, esto es, la culminación del proceso administrativo de selección del personal fijo y la evaluación de las necesidades en orden a la cobertura temporal de unas determinadas plazas, «*constituyen, y requieren, una actividad y unas potestades claramente administrativas, cuyo control jurisdiccional, por imperativo de lo dispuesto en los arts. 9.4 de la LOPJ y 1 de la LJCA, sólo incumbe al orden contencioso-administrativo, no al social, por más que las disposiciones invocadas pertenezcan al ámbito jurídico laboral*». Por ello, se declara la incompetencia del orden social para resolver la demanda en su integridad, porque, aunque la pretensión derive del convenio colectivo y se pida su aplicación, «*ni ese texto convencional establece una regulación cerrada, inmediata e incondicionada sobre la elaboración de las listas o bolsas de trabajo, pues su confección, como no podría ser de otra forma, está subordinada a «las necesidades de cobertura» de cada puesto o cada categoría profesional, ni esa misma determinación, y la consecuente publicación de la bolsa, aunque en ella deban tener «participación» las organizaciones sindicales presentes en la Comisión del convenio, deja de constituir una potestad claramente administrativa, cuyo control es sólo competencia del orden contencioso-administrativo de la jurisdicción, y sin que tal decisión, y la doctrina jurisprudencial que la avala, se vea afectada, antes al contrario, por el contenido de la Ley 7/2007, de 12 de abril del Estatuto Básico del Empleado Público*».

## 6.2. Las preferencias en la contratación temporal de las personas incluidas en las bolsas de trabajo

La cuestión controvertida consistente en determinar la jurisdicción competente para resolver sobre la preferencia para ser contratado existente entre los distintos componentes de una bolsa de empleo de una Administración Pública, ha sido resuelta por la Sala de lo Social del Tribunal Supremo de forma uniforme a partir de dos sentencias dictadas en Sala General el día 4 de octubre de 2000 (Recud. 3647/1998 y 5003/1998), en las que se sentó doctrina que ha sido seguida por las sentencias de 19 de noviembre de 2001 (Recud. 533/2001), 7 de febrero de 2003 (Recud. 1585/2002), 30 de mayo de 2006 (Recud. 642/2005), 25 de julio de 2006 (Recud. 2969/2005), 16 de abril de 2009 (Recud. 1355/2008) y 16 de diciembre de 2009 (Recud. 1418/2009), entre otras[46].

En todas ellas se ha sostenido que la competencia para resolver estas cuestiones corresponde al orden jurisdiccional contencioso-administrativo en base a las razones siguientes:

1.ª) Aunque estemos ante una contratación laboral, siempre que se trate de contratación «externa o de nuevo ingreso», y no de una promoción interna en donde la Administración actúa claramente como empresario dentro del marco de un contrato de trabajo existente y aplicando normas de indiscutible carácter laboral, precisamente respecto a una persona que ya tiene la condición de trabajador, esto no sucede en las convocatorias de nuevo ingreso —aun cuando hubiese preexistido un contrato temporal, pues está extinguido o finalizado, y por ello, no puede vincular la competencia a una u otra jurisdicción—. En estos supuestos,

---

[46]    Sin embargo, las SSTS (Social) de 10 de diciembre de 2019 (Recud. 3006/2017) y 13 de mayo de 2021 (Recud. 2686/2018) sostienen la competencia de la jurisdicción social para conocer de la reclamación de un trabajador, incluido en la bolsa de trabajo de un Ayuntamiento, que interesa se le reconozca su derecho a ser contratado por tener puesto preferente en la bolsa al del trabajador que ha sido contratado. Sobre la solicitud de medida cautelar consistente en incluir al recurrente en la bolsa de trabajo, véase la STS (CA) de 15 de octubre de 2012 (Rec. 1684/2011).

está actuando «*una potestad administrativa en orden a la selección de perso-nal conforme a parámetros de normas administrativas*».

2.ª) La actuación de la Administración es previa al vínculo laboral y predomina en ella el carácter de poder público, pues está obligada a se-guir lo dispuesto en los arts. 70 y 55 del EBEP y preceptos concordantes del RGI, siendo aplicables, los principios de igualdad, mérito, capacidad y publicidad, por lo que «*la regulación por el Derecho Administrativo es prevalente en atención a la cualificada presencia de un interés general al que se conecta el ejercicio de una potestad administrativa*».

3.ª) En este tipo de casos «*no se cuestionan jurisdiccionalmente verda-deros derechos adquiridos a los puestos de trabajo en cuestión, sino solamente meras «expectativas de derechos» a los mismos*». Y siendo esto así, frente a lo en ellas sostenido, «*la incompetencia de la Jurisdicción es clara, puesto que dichas «meras expectativas» ni siquiera pueden fundar la existencia de un precontrato que de existir, sí quedaría comprendido en el ámbito del Or-den Social de la Jurisdicción; todo ello con independencia de que las «listas» controvertidas hayan sido elaboradas por la Administración Pública, bien en virtud de reglas o bases contenidas en normas reglamentarias, bien como consecuencia de acuerdos con las Organizaciones sindicales*».

No obstante lo anterior, las SSTS de 28 de abril de 2015 (Rec. 90/2014) y 5 de octubre de 2016 (Rec. 280/2015) subrayan que en to-dos estos casos resueltos por las sentencias que acabamos de mencionar se trata de procesos ordinarios planteados individualmente por personas que figuraban en las listas o bolsas de trabajo reclamando su mejor de-recho respecto a la persona nombrada y discutiendo jurídicamente esta cuestión frente a la Administración contratante y a la persona a la que se considera indebidamente contratada. Pero en el supuesto ahora debatido se plantea «*un conflicto colectivo por los representantes legales y sindicales de los trabajadores integrantes de las referidas bolsas de trabajo, para exigir —en lo que a la reclamación principal se refiere— que en la contratación se siga por la Administración demandada, en su actuación como empresa, el orden de preferencia derivado de la puntuación de cada uno, establecido en el art. 19.1 del Convenio Colectivo*». La demandada, al tratar de eludir el cumpli-miento que le impone la norma convencional de referencia —amparán-dose en que con ello trata de respetar la limitación que establece el art. 15.5 del ET relativa a la duración máxima de los contratos temporales concertados sucesivamente sin infringir los principios de capacidad y mérito del art. 103 de la Constitución Española— realmente «*plantea una matizada interpretación jurídica del referido precepto convencional, distinta de la que sostiene la parte demandante, lo cual es materia propia de un conflicto colectivo (art. 151 de la Ley Reguladora de la Jurisdicción Social (LRJS), cuyo conocimiento corresponde incuestionablemente a la Jurisdicción del Orden Social (arts. 1 y 2, j) de la LRJS, pues en este supuesto no puede decirse que lo solicitado por la parte actora afecte en nada a las potestades administrativas de la Administración demandada, en tanto en cuanto lo solicitado es, simplemente, el cumplimiento de un acuerdo colectivo*».

En todo caso, como subrayan las sentencias referenciadas el proceso judicial de conflicto colectivo es adecuado para exigir de las Administraciones Públicas que los llamamientos de los trabajadores inscritos en las bolsas de trabajo vigentes se efectúen por riguroso orden de puntuación, pero no para resolver la pretensión de que se anulen los contratos celebrados incumplimiento dicho orden de llamamiento y, por tanto, incumpliendo el mandato convencional[47]. Es más, tras la publicación de la lista provisional de admitidos e inadmitidos, así como de la valoración provisional de sus méritos, existe una afectación de trabajadores determinados, necesitados de tutela judicial a la que, ciertamente, no podrían acceder a través del proceso judicial de conflicto colectivo.

# IV. ASPECTOS FORMALES

## 1. Acto de nombramiento y toma de posesión de los funcionarios interinos

Los aspirantes serán nombrados funcionarios interinos previa acreditación de los requisitos. Sin embargo, a diferencia de los arts. 62.1.b) del ET y 25.2 del RGI que exigen la publicación en el BOE de los nombramientos de funcionarios de carrera, nada semejante se establece a propósito de los funcionarios interinos. Por ello, debería recogerse en

---

[47]    Cfr. la STS de 6 de marzo de 2019 (Rec. 183/2019).

una norma clara de publicidad, que permita a la ciudadanía conocer con facilidad y rapidez los nombramientos que se acuerden, aunque sea para sustituciones por breve plazo[48].

## 2. Forma del contrato de interinidad

Los contratos temporales de interinidad deberán formalizarse siempre por escrito, haciendo constar, entre otros extremos, la especificación de la modalidad contractual de que se trata, la identificación de la circunstancia que determina su duración y el trabajo a desarrollar (arts. 6.1 y 6.2 RD 2720/1998).

Si se incumpliese la exigencia de formalización escrita, el contrato temporal de interinidad se presumirá celebrado por tiempo indefinido, salvo prueba en contrario que acredite su naturaleza temporal (arts. 8.2 ET y 9.1 RD 2720/1998). Además, el incumplimiento de la forma escrita constituye una infracción administrativa laboral grave del empresario, sancionable administrativamente (art. 7.1 LISOS).

## 2.1. Contrato de interinidad por sustitución

Al margen del cumplimiento de los requisitos generales, la correcta formalización del contrato de interinidad en su modalidad de «interinidad por sustitución», exige, a decir de los arts. 15.1.c) del ET y 4.2.a) y 6.1 del RD 2720/1998, la mención de la modalidad contractual y la identificación del trabajador sustituido y la causa de la sustitución, indicando si el puesto de trabajo a desempeñar será el del trabajador sustituido o el de otro trabajador de la empresa que pase a desempeñar el puesto de aquél[49].

---

[48]    En este sentido, SÁNCHEZ MORÓN, M., *Régimen jurídico de los funcionarios interinos*, Aranzadi, Pamplona, 2020, pág. 63.

[49]    Cfr. la STS de 10 de mayo de 2011 (Recud. 2588/2010) en relación a un contrato de interinidad que no hacía mención de la concreta causa de la sustitución, sino que aludía en términos generales a la sustitución de determinada trabajadora con derecho a reserva de puesto de trabajo, dando por bueno que un mismo contrato

## 2.2. Contrato de interinidad por vacante

En el caso del «contrato de interinidad por ocupación de vacante», el art. 4.2.a) del RD 2720/1998 exige la identificación del puesto de trabajo cuya cobertura definitiva se producirá tras el proceso de selección externa o de promoción interna.

En cuanto a la identificación de la plaza vacante no se precisa una formalidad particular, bastando con que se realice de modo suficiente y con criterios objetivos, de modo que la actitud posterior de la Administración no ocasione indefensión al afectado, como podría producirse en el caso de cese. En particular, no resulta necesario identificar la plaza objeto de cobertura por medio de un número u otros mecanismos similares; basta con precisar la categoría, el lugar o el centro de trabajo en que la plaza que así se ocupa está situada[50]. Y en todo caso la alegación de que existió fraude por parte de la Administración en este particular está sometida a la carga de la prueba que compete a quien la aduce (art. 1.214 CC), lo que no ha conseguido la actora en el presente caso, máxime cuando en el supuesto debatido, en que la actora continua trabajando, se ignora la actuación de la Administración sobre este particular cuando convoque las vacantes y por tanto no hay base para comparar la correspondencia entre la plaza que ocupa como auxiliar administrativa y la vacante.

---

de interinidad haya servido de cobertura a la baja por incapacidad temporal y luego por maternidad de la trabajadora sustituida.

[50]   SSTS de 14 de enero de 1998 (Recud. 1994/1997) y 1 de junio de 1998 (Recud. 4063/1997).

# Capítulo Tercero

# Derechos y obligaciones del personal interino

## I. EL RESPETO AL PRINCIPIO DE NO DISCRIMINACIÓN IMPUESTO POR LA DIRECTIVA Y EL ACUERDO MARCO SOBRE EL TRABAJO DE DURACIÓN DETERMINADA

### 1. *Ámbito de aplicación personal del principio de no discriminación*

La definición a efectos del Acuerdo marco sobre el trabajo de duración determinada del concepto de *«trabajador con contrato de duración determinada»*, formulada en la cláusula 3, apartado 1, de dicho Acuerdo, engloba a todos los trabajadores, sin establecer diferencias en función del carácter público o privado del empleador para el que trabajan, y ello independientemente de la calificación de su relación en Derecho interno como laboral o de carácter administrativo[51]. Habida cuenta de la importancia de los principios de igualdad de trato y de no discriminación, que forman parte de los principios generales del Derecho de la Unión Europea, a las disposiciones previstas por la Directiva 1999/70 y el Acuerdo marco a efectos de garantizar que los trabajadores con un contrato de duración determinada disfruten de las mismas ventajas que los trabajadores por tiempo indefinido comparables, salvo que esté justificado un trato diferenciado por razones objetivas, debe reconocérseles un alcance general, dado que constituyen normas de Derecho social de la Unión de especial importancia de las que debe disfrutar todo trabajador, al ser disposiciones protectoras mínimas.

En definitiva, la cláusula 4 del Acuerdo marco debe interpretarse en el sentido de que expresa un principio de Derecho social de la Unión

---

[51] Por todas, las SSTJCE de 13 de marzo de 2014 (Asunto C-190/13) y 26 de noviembre de 2014 (Asuntos C 61/2013, C 63/2013 y C 418/2013).

que no puede ser interpretado de manera restrictiva[52]. Y, comoquiera que la cláusula 4, apartado 1, del Acuerdo marco tiene efecto directo, los funcionarios interinos, el personal estatutario temporal eventual, los profesores asociados de las Universidades[53] y el personal eventual pueden invocarla frente al Estado ante un tribunal nacional.

## 2. Concepto de «condiciones de trabajo»

La cláusula 4 del Acuerdo marco impone, por lo que respecta a las condiciones de trabajo y a los criterios de antigüedad relativos a las condiciones de trabajo, la prohibición de tratar a los trabajadores con un contrato de duración determinada de una manera menos favorable que a los trabajadores fijos comparables por el mero hecho de tener un contrato de duración determinada.

El Tribunal de Justicia de la Unión Europea tiene declarado que el criterio decisivo para determinar si una medida está incluida en las *«condiciones de trabajo»* en el sentido de la cláusula 4 del Acuerdo marco sobre el trabajo a tiempo parcial es precisamente el del empleo, es decir, la relación de trabajo entre un trabajador y su empresario[54].

Además, ha de señalarse que la cláusula 4 del Acuerdo marco prevé en su apartado 4 que los criterios de antigüedad relativos a determinadas condiciones de trabajo serán los mismos para los trabajadores con contrato de duración determinada que para los trabajadores fijos, salvo que los criterios de antigüedad diferentes vengan justificados por razones objetivas.

A este respecto, el Tribunal de Justicia ha declarado que están comprendidas en el concepto de *«condiciones de trabajo»*, en particular, las normas relativas a la consideración para una promoción interna como funcionario de carrera de los períodos de servicio anteriormente prestados como funcionario interino[55], a los complementos salariales por

---

[52]    Por todas, la STJUE de 9 de julio de 2015 (Asunto C-361/12).
[53]    STJCE de 13 de marzo de 2014 (Asunto C-190/13).
[54]    STJUE de 12 de diciembre de 2013 (Asunto C-361/12).
[55]    STJUE de 8 de septiembre de 2011 (Asunto C-177/10).

antigüedad como los trienios[56], a la determinación del plazo de preaviso aplicable en caso de finalización de los contratos de duración determinada[57], al régimen de reincorporación que ofrece el ordenamiento jurídico ante la calificación de un despido disciplinario considerado ilegal[58] y a la indemnización concedida al trabajador debido a la finalización del contrato que le vincula con su empleador, ya que se abona debido a la relación laboral que se ha establecido entre ellos. Este es el caso, por ejemplo, de las indemnizaciones que un empresario está obligado a abonar a un trabajador por razón de la finalización de su contrato de trabajo de duración determinada[59] o de la inclusión ilícita de una cláusula de terminación en su contrato de trabajo[60], o de la indemnización abonada a los trabajadores con contratos de duración determinada celebrados para cubrir la jornada de trabajo dejada vacante por un trabajador que se jubila parcialmente, como el contrato de relevo controvertido en el litigio principal, al vencer el término por el que estos contratos se celebraron[61].

## 3. La comparabilidad de la situación jurídica de un trabajador por cuenta ajena contratado por una duración determinada con la de los trabajadores contratados por una duración indefinida

La cláusula 3 del Acuerdo marco dispone:

> «A efectos del presente Acuerdo, se entenderá por:
> 1. «trabajador con contrato de duración determinada»: el trabajador con un contrato de trabajo o una relación laboral concertados directamente entre un empresario y un trabajador, en los que el final del contrato de trabajo o de la relación laboral viene determinado por condiciones objetivas tales como una fecha concreta,

---

[56]   SSTJUE de 22 de diciembre de 2010 (Asuntos C-444/09 y C-456/09) y 9 de julio de 2015 (Asunto C-361/12).

[57]   STJUE de 13 de marzo de 2014 (Asunto C-38/13).

[58]   STJUE de 25 de julio de 2018 (Asunto C-96/17).

[59]   SSTJUE de 14 de septiembre de 2016 (Asunto C-596/14) y 21 de noviembre de 2018 (Asunto C-619/17).

[60]   STJUE de 12 de diciembre de 2013 (Asunto C-361/12).

[61]   STJUE de 5 de junio de 2018 (Asunto C-574/16).

*la realización de una obra o servicio determinado o la producción de un hecho o acontecimiento determinado;*
*2. «trabajador con contrato de duración indefinida comparable»: un trabajador con un contrato o relación laboral de duración indefinida, en el mismo centro de trabajo, que realice un trabajo u ocupación idéntico o similar, teniendo en cuenta su cualificación y las tareas que desempeña.*
*En caso de que no exista ningún trabajador fijo comparable en el mismo centro de trabajo, la comparación se efectuará haciendo referencia al convenio colectivo aplicable o, en caso de no existir ningún convenio colectivo aplicable, y de conformidad con la legislación, a los convenios colectivos o prácticas nacionales».*

A este respecto, es necesario precisar que el principio de no discriminación se ha aplicado y concretado mediante el Acuerdo marco únicamente en lo que respecta a las diferencias de trato entre trabajadores con contrato de duración determinada y trabajadores con contratos por tiempo indefinido que se encuentren en una situación comparable. En cambio, las posibles diferencias de trato entre determinadas categorías de personal con contrato de duración determinada no están incluidas en el ámbito de aplicación del principio de no discriminación consagrado por dicho Acuerdo marco[62]. Tampoco lo están las diferencias de trato entre las dos categorías de empleados públicos temporales, ya que dichas diferencias ya no se basan en la duración determinada o indefinida de la relación de servicio, sino en su naturaleza funcionarial o laboral[63].

El principio de no discriminación, del que la cláusula 4, apartado 1, del Acuerdo Marco es una expresión concreta, exige que no se traten de manera diferente situaciones comparables y que no se traten de manera idéntica situaciones diferentes, a no ser que dicho trato esté objetivamente justificado[64]. Para apreciar si determinados trabajadores ejercen un trabajo idéntico o similar, en el sentido del Acuerdo marco, en virtud de sus cláusulas 3, apartado 2, y 4, apartado 1, debe tenerse en cuenta un conjunto de factores, como la naturaleza del trabajo, las condicio-

---

[62]  SSTJUE de 14 de septiembre de 2016 (Asunto C-596/14), 21 de noviembre de 2018 (Asunto C-245/17) y 22 de enero de 2020 (Asunto C-177/18).
[63]  STJUE de 22 de enero de 2020 (Asunto C-177/18).
[64]  STJUE de 11 de abril de 2019 (Asuntos C-29/18, C-30/18 y C-44/18).

nes de formación y las condiciones laborales[65]. A este respecto, procede recordar que el Tribunal de Justicia ha declarado que, si se demuestra que, cuando prestaban servicios, los trabajadores con contrato de duración determinada ejercían las mismas funciones que los trabajadores contratados por el mismo empresario por tiempo indefinido u ocupaban el mismo puesto que estos, en principio las situaciones de estas dos categorías de trabajadores han de considerarse comparables y, por lo tanto, es preciso comprobar si existe una razón objetiva que justifique la diferencia de trato. Por el contrario, si se comprobara que las funciones ejercidas por el personal temporal no son idénticas o análogas a las ejercidas por el personal indefinido, de ello se derivaría que el interesado no se encuentra, en cualquier caso, en una situación comparable a la de este.

Por lo demás, aunque incumbe al tribunal remitente, único competente para examinar los hechos, determinar si los trabajadores de que se trata se hallan o no en una situación comparable, el Tribunal de Justicia puede considerar, si de los datos que obran en su poder son suficientes, que los interesados desempeñaban las mismas funciones que las que se encomendaban a los trabajadores con contrato de duración indefinida.

## 4. El concepto de «razones objetivas»

Según reiterada jurisprudencia del Tribunal de Justicia, debe entenderse que el concepto de «razones objetivas», en el sentido de la cláusula 4, apartado 1, del Acuerdo marco no permite justificar una diferencia de trato entre trabajadores con un contrato de duración determinada y trabajadores fijos por el hecho de que aquélla esté prevista por una norma nacional general y abstracta, como una Ley o un convenio colectivo[66].

El referido concepto requiere que la desigualdad de trato observada esté justificada por la existencia de elementos precisos y concretos, que caracterizan la condición de trabajo de que se trata, en el contexto

---

[65]   Por todas, las SSTJUE de 9 de julio de 2015 (Asunto C-361/12) y 14 de septiembre de 2016 (Asunto C-596/14).

[66]   Por todas, las SSTJUE de 8 de septiembre de 2011 (Asunto C-177/10) y 9 de julio de 2015 (Asunto C-361/12).

específico en que se enmarca y con arreglo a criterios objetivos y transparentes, a fin de verificar si dicha desigualdad responde a una necesidad auténtica, si permite alcanzar el objetivo perseguido y si resulta indispensable al efecto[67]. Tales elementos pueden tener su origen, en particular, en la especial naturaleza de las tareas para cuya realización se celebran los contratos de duración determinada y en las características inherentes a las mismas o, eventualmente, en la persecución de un objetivo legítimo de política social por parte de un Estado miembro.

La referencia a la mera naturaleza temporal de la relación de servicio del personal de la Administración Pública no es conforme a estos requisitos y, por tanto, no puede constituir, por sí sola, una razón objetiva, en el sentido de la cláusula 4, apartado 1, del Acuerdo marco[68]. En efecto, admitir que la mera naturaleza temporal de una relación de trabajo basta para justificar tal diferencia privaría de contenido a los objetivos de la Directiva 1999/70 y del Acuerdo marco equivaldría a perpetuar el mantenimiento de una situación desfavorable para los trabajadores con contrato de duración determinada.

Pues bien, a este respecto, cabe subrayar lo siguiente:

1.º) En virtud de la facultad de apreciación de que disponen los Estados miembros en relación con la organización de sus propias Administraciones Públicas, en principio éstos pueden, sin infringir la Directiva 1999/70 ni el Acuerdo marco, establecer requisitos de antigüedad para acceder a determinados puestos, restringir el acceso a la promoción interna a los funcionarios de carrera y exigirles que demuestren tener una experiencia profesional correspondiente al grupo inmediatamente inferior al que es objeto del proceso selectivo. Sin embargo, a pesar de la existencia de este margen de apreciación, la aplicación de los criterios que los Estados miembros establezcan debe efectuarse de manera transparente y ser susceptible de control para evitar cualquier exclusión de los trabajadores con contrato de duración determinada sobre la mera

---

[67]     Por todas, las SSTJUE de 8 de septiembre de 2011 (Asunto C-177/10), 9 de julio de 2015 (Asunto C-361/12) y 14 de septiembre de 2016 (Asunto C-596/14).

[68]     Por todas, la STJUE de 9 de julio de 2015 (Asunto C-361/12).

base de la duración de los contratos o las relaciones de servicio que justifiquen su antigüedad o su experiencia profesional.

Cuando tal trato diferente, en relación con un proceso selectivo, resulta de la necesidad de tener en cuenta requisitos objetivos, relativos a la plaza que dicho procedimiento tiene por objeto proveer y que son ajenos a la duración determinada de la relación de servicio que vincula al funcionario interino con su empleador, puede estar justificado, en el sentido de la cláusula 4, apartados 1 o 4, del Acuerdo marco. En cambio, un requisito genérico y abstracto según el cual el período de servicio exigido debe haberse cumplido íntegramente en calidad de funcionario de carrera, sin que se tomen en consideración, especialmente, la naturaleza particular de las tareas que se han de realizar ni las características inherentes a ellas, no se corresponde con las exigencias de la jurisprudencia relativa a la cláusula 4, apartado 1, del Acuerdo marco.

Por consiguiente, la cláusula 4 del Acuerdo marco debe interpretarse en el sentido de que se opone a que los períodos de servicio cumplidos por un funcionario interino de una Administración Pública no sean tenidos en cuenta para el acceso de éste, que entre tanto ha tomado posesión como funcionario de carrera, a una promoción interna en la que sólo pueden participar los funcionarios de carrera, a menos que dicha exclusión esté justificada por razones objetivas, en el sentido del apartado 1 de dicha cláusula[69]. El mero hecho de que el funcionario interino haya cumplido dichos períodos de servicio sobre la base de un contrato o de una relación de servicio de duración determinada no constituye tal razón objetiva.

2.º) Aunque el interés público, vinculado, en sí mismo, a las modalidades de contratación de los trabajadores fijos, no justifica el diferente régimen de reincorporación que ofrece el ordenamiento jurídico ante la calificación de un despido disciplinario, no es menos cierto que algunas consideraciones derivadas de las características del Derecho de la función pública nacional pueden justificar tal diferencia de trato[70]. A este respecto, las consideraciones de imparcialidad, eficacia e independencia

---

[69] STJUE de 8 de septiembre de 2011 (Asunto C-177/10).
[70] STJUE de 25 de julio de 2018 (Asunto C-96/17).

de la Administración implican una cierta permanencia y estabilidad en el empleo. Estas consideraciones, que no tienen equivalente en el Derecho laboral común, explican y justifican los límites a la facultad de extinción unilateral de los contratos impuestos a los empleadores públicos y, en consecuencia, la decisión del legislador nacional de no concederles la facultad de elegir entre readmisión e indemnización del perjuicio sufrido a causa de un despido improcedente. Por consiguiente, es necesario considerar que la readmisión automática de los trabajadores fijos forma parte de un contexto muy diferente, desde un punto de vista fáctico y jurídico, de aquel en el que se encuentran los trabajadores que no son fijos.

En estas circunstancias, cabe afirmar que la desigualdad de trato observada está justificada por la existencia de elementos precisos y concretos, que caracterizan la condición de trabajo de que se trata, en el contexto específico en que se enmarca y con arreglo a criterios objetivos y transparentes, en el sentido de la jurisprudencia comunitaria.

En virtud de todo lo expuesto, el Tribunal de Justicia ha declarado que «*la cláusula 4, apartado 1, del Acuerdo marco sobre el trabajo de duración determinada, celebrado el 18 de marzo de 1999, que figura en el anexo de la Directiva 1999/70/CE del Consejo, de 28 de junio de 1999, relativa al Acuerdo marco de la CES, la UNICE y el CEEP sobre el trabajo de duración determinada, debe interpretarse en el sentido de que no se opone a una norma nacional como la controvertida en el litigio principal, según la cual, cuando el despido disciplinario de un trabajador fijo al servicio de una Administración pública es declarado improcedente, el trabajador debe ser readmitido obligatoriamente, mientras que, en el mismo supuesto, un trabajador temporal o un trabajador indefinido no fijo que realicen las mismas tareas que el trabajador fijo pueden no ser readmitidos y recibir como contrapartida una indemnización*».

3.º) En lo que atañe a las diferencias de trato resultantes de la aplicación del artículo 53, apartado 1, letra b), del Estatuto de los Trabajadores, el Tribunal de Justicia ya ha declarado que el objeto específico de la indemnización por despido establecida en esa disposición, al igual que el contexto particular en el que se abona, constituyen una razón objetiva que justifica la diferencia de trato entre los interinos a los que no se les debe abonar indemnización alguna al término de su relación, mientras que los trabajadores fijos perciben una indemnización cuando son despedidos por alguna de las causas previstas en el artículo 52 del Estatuto de los Trabajadores[71].

Sobre este particular, el Tribunal de Justicia ha declarado que la finalización de una relación laboral o administrativa de duración determinada se produce en un contexto sensiblemente diferente, desde los puntos de vista tanto fáctico como jurídico, de aquel en el que el contrato de trabajo de un trabajador fijo se extingue debido a la concurrencia de una de las causas previstas en el artículo 52 del Estatuto de los Trabajadores. En efecto, se deduce de la definición del concepto de «relación laboral de duración determinada» que figura en la cláusula 3, apartado 1, del Acuerdo Marco que una relación laboral de este tipo deja de producir efectos para el futuro cuando vence el término que se le ha asignado, pudiendo constituir dicho término una fecha precisa, la finalización de una tarea determinada o, como en el caso de autos, el advenimiento de un acontecimiento concreto (la reincorporación del empleado público sustituido o la adjudicación del puesto ocupado hasta ese momento por el interino a la persona que ha superado un proceso selectivo). De este modo, las partes en una relación laboral de duración determinada conocen, desde el momento en que se pacta, la fecha o el acontecimiento que determina su término. Este término limita la duración de la relación laboral, sin que las partes deban manifestar su voluntad a este respecto una vez concertada dicha relación. En cambio, la extinción de un contrato de trabajo fijo por una de las causas previstas en el artículo 52 del Estatuto de los Trabajadores, a iniciativa del empresario, tiene lugar al producirse circunstancias que no estaban previstas en el momento de su celebración y que suponen un cambio radical en el desarrollo normal de la relación laboral, de modo que la indemnización prevista en el artículo 53, apartado 1, letra b), del Estatuto tiene precisamente por objeto compensar el carácter imprevisto de la ruptura de la relación de trabajo por una causa de esta índole y, por lo tanto, la frustración de las expectativas

---

[71] SSTJUE de 5 de junio de 2018 (Asunto C-677/16), 21 de noviembre de 2018 (Asunto C-619/17) y 22 de enero de 2020 (Asunto C-177/18). Cfr. la STJUE de 14 de septiembre de 2016 (Asunto C-596/14).

legítimas que el trabajador podía albergar, en esa fecha, en lo que respecta a la estabilidad de dicha relación.

En este último supuesto, el Derecho español no opera ninguna diferencia de trato entre trabajadores con contrato temporal de interinidad por sustitución o por vacante o funcionarios interinos y trabajadores fijos comparables, ya que el artículo 53, apartado 1, letra b), del Estatuto de los Trabajadores establece el abono de una indemnización legal equivalente a veinte días de salario por año de servicio en favor del trabajador, con independencia de la duración determinada o indefinida de su contrato de trabajo.

En estas circunstancias, la cláusula 4, apartado 1, del Acuerdo Marco debe interpretarse en el sentido de que no se opone a una normativa nacional que no prevé el abono de indemnización alguna a los trabajadores con contratos de duración determinada celebrados para sustituir a un trabajador con derecho a reserva del puesto de trabajo o para cubrir temporalmente un puesto de trabajo durante el proceso de selección o promoción para la cobertura definitiva del mencionado puesto, al vencer el término por el que estos contratos se celebraron, ni a los funcionarios interinos ni a los funcionarios de carrera cuando se extingue la relación de servicio, mientras que se concede indemnización a los trabajadores fijos con motivo de la extinción de su contrato de trabajo por una causa objetiva.

Con todo, la alegación basada en la previsibilidad de la finalización del contrato o relación administrativa de interinidad no se basa en criterios objetivos y transparentes, si el interino podía conocer, en el momento en que se celebró su contrato de interinidad o comenzó su relación de servicio, la fecha exacta en que se proveería con carácter definitivo el puesto que ocupaba en virtud de dicho contrato, ni saber que dicho contrato tendría una duración «*inusualmente larga*». Dicho esto, incumbe al juzgado remitente examinar si, habida cuenta de la imprevisibilidad de la finalización del contrato y de su duración, inusualmente larga, ha lugar a recalificarlo como contrato fijo.

# II. EL ESTATUS DEL PERSONAL INTERINO EN EL ORDENAMIENTO JURÍDICO ESPAÑOL

## 1. *Personal funcionario interino*

### 1.1. Funcionarios interinos e igualdad de tratamiento

Al personal funcionario interino «*le será aplicable el régimen general del personal funcionario de carrera en cuanto sea adecuado a la naturaleza de su condición temporal y al carácter extraordinario y urgente de su nombramiento, salvo aquellos derechos inherentes a la condición de funcionario de carrera*» (art. 10.5 EBEP, en su nueva redacción dada por el art. 1.1 RD-l 14/2021).

Al respecto, cabe subrayar lo siguiente:

1.º) Los funcionarios interinos percibirán las retribuciones básicas (sueldo y trienios) y las pagas extraordinarias correspondientes al Subgrupo o Grupo de adscripción, en el supuesto de que éste no tenga Subgrupo (art. 25.1 EBEP). Percibirán asimismo las retribuciones complementarias a que se refieren los apartados b), c) y d) del artículo 24 y las correspondientes a la categoría de entrada en el cuerpo o escala en el que se le nombre (art. 25.2 EBEP). En cuanto a los trienios, el art. 25.2 del EBEP determina que se reconocerán los «*correspondientes a los servicios prestados antes de la entrada en vigor del presente Estatuto que tendrán efectos retributivos únicamente a partir de la entrada en vigor del mismo*». Sin embargo, como subraya la Sala de lo Contencioso-administrativo del Tribunal Supremo, el límite temporal del art. 25.2 del EBEP contraviene la Directiva 1999/70, lo que comporta que se deba tener en cuenta la jurisprudencia comunitaria en el sentido de que cuando el precepto de una directiva sea suficientemente preciso como para ser invocado por un justiciable contra el Estado miembro, debe ser aplicado por el juez nacional para impedir la aplicación de cualquier disposición que no sea conforme con aquél. Y, por ello, se reconoce el derecho de los funcionarios interinos a las diferencias retributivas que procedan de los trienios correspondientes al período anterior a la entrada en vigor del EBEP[72].

2.º) El art. 70.2 del RGI, que establece el modo de adquisición del grado personal, resulta de aplicación no sólo a los funcionarios de carrera, sino también a los funcionarios interinos, y ello a la luz de la jurisprudencia del TJUE sobre la aplicación de la Directiva 1999/70/CE del Consejo, de 28 de junio de 1999, relativa al Acuerdo marco de la CES, la UNICE y el CEEP sobre el trabajo de duración determinada.

En este sentido, la STS (CA) de 7 de noviembre de 2018 (Rec. 1781/2017) defiende la equiparación del funcionario interino con el de carrera en orden a la consolidación del grado personal. El supuesto de hecho analizado era el siguiente: durante doce años y hasta el día 16/09/2011, el actor ocupó como funcionario interino el puesto de director en el Centro Provincial de Drogodependencia de la Diputación Provincial de Málaga que tenía asignado el nivel 26 de complemento de destino. El 16 de septiembre de 2011 se incorporó como funcionario interino al puesto de trabajo de médico del Centro Provincial de Drogodependencia, cuyo complemento de destino es del nivel 24. El 7 de diciembre de 2011 el interesado solicitó el reconocimiento de consolidación de nivel de complemento de destino 26 con efectos de 16 de septiembre de 2011. Se trataba, por consiguiente, de decidir si quien como funcionario interino ocupó durante doce años un puesto de trabajo de nivel 26, consolidó en ese tiempo el grado personal correspondiente, con el efecto de conservarlo, aunque después pasase a desempeñar otro de nivel inferior.

Pues bien, el Tribunal Supremo ante la pregunta de si el régimen jurídico que se contiene en los arts. 21.1.d) (*«El grado personal se adquiere por el desempeño de uno o más puestos de nivel correspondiente durante dos años continuados o tres con interrupción…»*) y 21.2.a) de la LMRFP (*«Los funcionarios tendrán derecho, cualquiera que sea el puesto de trabajo que desempeñen, al percibo al menos del complemento de destino de los puestos del nivel correspondiente a su grado personal»*) y 44.1.b) del RGI, referido a los

---

[72]    Por todas, las SSTS (CA) de 7 de abril de 2011 (Rec. 39/2009) y 25 de julio de 2012 (Rec. 128/2010). Cfr. la STS (CA) de 12 de abril de 2012 (Rec. 331/2011).

méritos a valorar en los concursos, es aplicable también a un funcionario interino que desempeñó durante doce años un puesto de trabajo de nivel 26, responde en sentido afirmativo.

En este sentido, el Tribunal Supremo formula la siguiente argumentación:

a) El grado personal y sus efectos jurídicos han de ser incluidos en el ámbito o en el concepto de «*condiciones de trabajo*» que utiliza la cláusula 4 del Acuerdo marco anexo a la Directiva 1999/70/CE del Consejo, de 28 de junio de 1999, ya que según la jurisprudencia del Tribunal de Justicia de la Unión Europea «*todo aspecto vinculado al 'empleo' como equivalente a la relación laboral entre un trabajador y su empresario debe quedar integrado en el concepto de 'condiciones de trabajo'*».

b) El actor era «*comparable*», como también exige la cláusula 4, al funcionario fijo que hubiera desempeñado el mismo trabajo que desempeñó aquél durante aquellos doce años, pues, amén de que nada se argumenta en contra por la parte recurrente, la cláusula 3, apartado 2, del Acuerdo marco define al «*trabajador con contrato de duración indefinida comparable*» como «*un trabajador con un contrato o relación laboral de duración indefinido, en el mismo centro de trabajo, que realice un trabajo u ocupación idéntico o similar, teniendo en cuenta su cualificación y las tareas que desempeña*». Punto, éste, en el que también debe recordarse lo que el TJUE afirma con reiteración: para apreciar si los trabajadores realizan un trabajo idéntico o similar, en el sentido del Acuerdo, debe comprobarse si, habida cuenta de un conjunto de factores, como la naturaleza del trabajo, los requisitos de formación y las condiciones laborales, puede considerarse que dichos trabajadores se encuentran en una situación comparable (SSTJUE de 18 de octubre de 2012, Valenza y otros, C-302/11 a C-305/11, apartado 42, y de 14 de septiembre de 2016, De Diego Porras, C-596/14, apartado 40. Y auto del mismo Tribunal de 21 de septiembre de 2016, Álvarez Santirso, C-631/15, apartado 43). Repetimos, nada en contra se argumenta por la parte recurrente.

c) Y, por último, tampoco se ha justificado en el caso que enjuiciamos que el trato diferente obedezca a razones objetivas. Nada argumenta la parte recurrente, otra vez, en contra del párrafo de la sentencia recurrida que razona: Como también ha sostenido reiteradamente el TJUE corresponde en principio al tribunal nacional pronunciarse sobre si, cuando ejercía sus funciones como funcionario interino, el demandante se hallaba en una situación comparable a la de los funcionarios de carrera, y para ello el canon al uso es el de la diferenciación por «razones objetivas», es decir por relación a los requisitos objetivos de las plazas servidas, por las características del empleo, o por el nivel de formación requerido para el desempeño de los puestos de trabajo, razones objetivas que la Administración no se ha esforzado en decantar para este caso, lo que nos conduce indeclinablemente a considerar que el único motivo por el que se ha denegado la consolidación de grado personal al recurrente es la naturaleza temporal de su vínculo laboral con la Administración demandada, práctica proscrita por la Directiva 1999/70/CE, en la interpretación constante que de la misma viene efectuando el Tribunal de Justicia.

En aplicación de lo razonado, el Tribunal Supremo considera que lo dispuesto en el art. 70.2 del RGI, que establece el modo de adquisición del grado personal, resulta de aplicación no sólo a los funcionarios de carrera, sino también a los funcionarios interinos, y ello a la luz de la jurisprudencia del TJUE sobre la aplicación de la Directiva 1999/70/CE del Consejo, de 28 de junio de 1999, relativa al Acuerdo marco de la CES, la UNICE y el CEEP sobre el trabajo de duración determinada.

3.º) El complemento de destino se concede a los funcionarios por el mero hecho de haber cubierto el tiempo de servicios requerido y no afecta a su posición en el sistema de carrera profesional. Y, en este sentido, debe recordarse que, según la STJCE de 20 de junio de 2019 (Asunto C-72/18), la cláusula 4, apartado 1, del Acuerdo Marco sobre el Trabajo de Duración Determinada, celebrado el 18 de marzo de 1999, que figura en el anexo de la Directiva 1999/70/CE del Consejo, de 28 de junio de 1999, relativa al Acuerdo marco de la CES, la UNICE y el CEEP sobre el Trabajo de Duración Determinada, debe interpretarse en el sentido de que se opone a una normativa nacional que reserva el derecho a un complemento retributivo a los profesores funcionarios de carrera, excluyendo, en particular, a los funcionarios interinos o profesores contratados administrativos, «*si haber cubierto un determinado tiempo de servicios constituye el único requisito para la concesión de dicho complemento*».

4.º) Los arts. 16 y 17 del EBEP circunscriben el derecho a la carrera profesional horizontal en favor de los funcionarios de carrera. En esta misma línea, el Decreto 186/2014, de 7 de noviembre, por el que se regulaba el sistema de carrera profesional horizontal y la evaluación del desempeño, del personal funcionario de carrera de la Administración de la Generalitat Valenciana, limitaba el derecho a la carrera profesional horizontal en favor del «*personal funcionario de carrera*» de la Administración de la Generalitat. Sin embargo, la Sala de lo Contencioso-Administrativo del Tribunal Superior de Justicia de la Comunidad Valenciana declara la nulidad de los arts. 1, 3, 5, 7 y 18 así como de las disposiciones adicionales primera y segunda y de la disposición transitoria primera, del Decreto 186/2014, en tanto en cuanto excluyen a los funcionarios interinos con más de cinco años de antigüedad, de la posible percepción del complemento retributivo de carrera profesional[73]. En este sentido, y siguiendo la doctrina sentada por el Tribunal de Justicia de la Unión Europea, el Tribunal Constitucional y el Tribunal Supremo, se arguye que «*una diferencia de trato por lo que se refiere a las condiciones de trabajo entre trabajadores con contrato de trabajo de duración determinada y trabajadores fijos no puede justificarse por un criterio que se refiere a la duración misma de la relación laboral de manera general y abstracta*». Admitir que la mera naturaleza temporal de una relación laboral basta para justificar tal diferencia «*privaría de contenido a los objetivos de la Directiva 1999/70 y del Acuerdo marco*» y «*en lugar de mejorar la calidad del trabajo con contrato de duración determinada y promover la igualdad de trato buscada tanto por la Directiva 1999/70 como por el Acuerdo marco, el recurso a tal criterio equivaldría a perpetuar el mantenimiento de una situa-*

---

[73]   Entre otras, en sus sentencias de 21 de diciembre de 2015 (Rec. 66/2015), 29 de marzo de 2017 (Rec. 436/2014), 7 de abril de 2017 (Rec. 9/2015), 21 de abril de 2017 (Rec. 435/2014), 6 de junio de 2017 (Rec. 606/2015), 16 de junio de 2017 (Rec. 607/2015), 21 de junio de 2017 (Rec. 610/2015), 27 de junio de 2017 (Rec. 626/2015), 20 de diciembre de 2017 (Recs. 56/2016 y 116/2016) y 17 de julio de 2019 (Rec. 875/2016).

*ción desfavorable para los trabajadores con contrato de duración determinada (sentencia Gavieiro Gavieiro e Iglesias Torres, y auto Montoya Medina)».* Y, por ello, se reconoce como situación jurídica individualizada el derecho de los actores, en tanto funcionarios interinos de larga duración, a percibir el complemento retributivo de carrera profesional, una vez constatadas por la Administración las permanencias previstas reglamentariamente. Planteamiento que ha sido refrendado por la STS (CA) de 8 de marzo de 2017 (Rec. 93/2016), no admitiendo el recurso deducido por el Letrado de la Generalidad Valenciana contra la sentencia de 21 de diciembre de 2015.

Por lo tanto, queda claro que la percepción del complemento retributivo de carrera profesional fuere en condición de funcionario de carrera o de interino de larga duración resulta pacífica en el momento presente[74]. Y, por ello, se reconoce a los funcionarios interinos de la Generalidad Valenciana el derecho al complemento de carrera profesional si cumplen las condiciones previstas en el Decreto autonómico que la regula para los funcionarios de carrera.

Por lo demás, como subraya la STS (CA) de 30 de marzo de 2017 (Rec. 3460/2015), es claro que en el razonamiento de la sentencia esos interinos de larga duración no pueden ser excluidos de esa carrera profesional y han de ser acreedores del complemento correspondiente y, por eso, la sentencia, una vez adquirida firmeza, *«elimina del ordenamiento jurídico el precepto que lo impide y su fuerza opera por sí misma tal efecto para todas las personas afectadas»*; la ulterior publicación del fallo *«aporta*

---

[74]    En este mismo sentido, se expresan también, entre otras, las SSTS (CA) de 30 de junio de 2014 (Rec. 1846/2013), 18 de diciembre de 2018 (Rec. 3723/2017), 21 de febrero de 2019 (Rec. 1805/2017), 25 de febrero de 2019 (Rec. 4336/2017), 6 de marzo de 2019 (Rec. 2595/2017), 6 de marzo de 2019 (Rec. 5927/2017), 8 de marzo de 2019 (Rec. 2751/2017), 29 de octubre de 2019 (Rec. 2237/2017), 21 de febrero de 2021 (Rec. 3290/2019), 23 de febrero de 2021 (Rec. 2495/2019) y 17 de noviembre de 2020 (Rec. 4641/2018); y las SSTSJ de Asturias (CA) de 22 de mayo de 2017 (Rec. 92/2017) y de Cataluña (CA) de 23 de mayo de 2017 (Rec. 325/2016). Véase también las SSTS (CA) de 3 de diciembre de 2018 (Rec. 354/2016) y 10 de diciembre de 2020 (Recud. 4011/2017) dictadas a propósito del componente retributivo relacionado con la formación permanente del profesorado y la realización de otras actividades para la mejora de la calidad de la enseñanza.

*la publicidad necesaria para general conocimiento del fallo y dota a la senten-cia de efectos generales desde el día de la publicación, tal como lo prescribe el artículo 72.2 de la Ley de la Jurisdicción».* Llevar a puro y debido efecto la sentencia *«no exige, por tanto, nuevas normas».* *«Pueden requerirlas exi-gencias derivadas de una adecuada regulación del estatuto del personal esta-tutario interino de larga duración. No obstante, aún a falta de esa disciplina, en tanto una sentencia firme fundamenta su fallo en la existencia de una discriminación constitucionalmente injustificada de ese personal en relación con la carrera profesional, los interesados podrán hacer valer sus pretensiones de igualdad de trato en este punto invocando ese pronunciamiento. La falta de normas específicas no lo impedirá ni tampoco impedirá que prosperen judi-cialmente sus recursos, pero esa es una cuestión diferente de la ejecución de la sentencia de la que estamos hablando».*

A mayor abundamiento, cuando el interino adquiere la condición de funcionario de carrera tiene derecho al cómputo de los años de servicios como interino a efectos del cumplimiento del requisito de permanencia durante el período de tiempo exigido en la categoría de entrada para el acceso a la categoría personal superior y, en consecuencia, a ser evaluado con todos los efectos correspondientes a la evaluación positiva[75].

5.º) También es discriminatorio dar un trato distinto a los funciona-rios interinos y trabajadores temporales respecto a los funcionarios de carrera y trabajadores fijos en materia de prestaciones sociales o mejoras voluntarias de la Seguridad Social (por ejemplo, una indemnización por fallecimiento en accidente de trabajo)[76]. En efecto, este trato desigual vulnera el principio de igualdad y no discriminación entre empleados temporales e indefinidos, al no estar amparado en una justificación ob-jetiva y razonable.

---

[75]   SSTS (CA) de 18 de febrero de 2020 (Rec. 4099/2017) y 28 de mayo de 2020 (Rec. 4753/2018). Asimismo, en un procedimiento de movilidad interna volun-taria del personal estatutario fijo, no cabe dar una distinta valoración a los ser-vicios anteriores por el mero dato de que hayan sido prestados como personal estatutario fijo o como personal interino [STS (CA) de 15 de abril de 2021 (Proc. 4323/2019)].

[76]   STS de 12 de febrero de 2020 (Recud. 2802/2017).

6.º) En fin, la norma nacional, como el art. 87.1 del EBEP, que prevé que se declare en la situación de servicios especiales, en caso de ser elegidos para desempeñar un cargo público, a los funcionarios de carrera y excluye a los funcionarios interinos vulnera el Acuerdo marco sobre el trabajo de duración determinada que figura en el anexo de la Directiva 1999/70/CE[77]. Por ello, la reciente doctrina jurisprudencial considera que sí puede declararse a los funcionarios interinos en situación de servicios especiales en los casos previstos para los funcionarios de carrera en la legislación aplicable a los mismos, así como, en principio, y con carácter general, debe computarse el tiempo transcurrido en dicha situación como experiencia profesional equivalente a las funciones propias de la categoría a que se concurre en un concurso-oposición[78].

Los funcionarios interinos también pueden disfrutar de la excedencia por cuidado de hijos y otros familiares. La excedencia para el cuidado de hijos y otros familiares constituye, en efecto, un derecho atribuido por el legislador a trabajadores y empleados públicos en orden a hacer efectivo el mandato constitucional dirigido a los poderes públicos de garantizar el instituto de la familia (art. 39.1 CE) y no resulta admisible, desde la perspectiva del art. 14 de la CE, fundar la denegación de un derecho con trascendencia constitucional exclusivamente en el carácter temporal y en la necesaria y urgente prestación del servicio propia de la situación de interinidad[79]. Ahora bien, la característica esencial de todo nombramiento de funcionario con carácter interino es la temporalidad de su puesto de trabajo, ya que su relación de servicio se extingue preceptivamente cuando desaparezca la urgencia o necesidad que determinó el nombramiento y, en todo caso, cuando la plaza sea cubierta por el correspondiente funcionario. Por lo tanto, el funcionario no podrá solicitar la incorporación a su puesto de trabajo, para el que estaba nombrado con carácter interino, si han desaparecido las razones de urgencia y necesidad que justificaron su nombramiento al haber sido ocupada su plaza por un funcionario de carrera[80].

---

[77]   STJUE de 20 de diciembre de 2017 (Asunto C-158/16).
[78]   STS (CA) de 14 de octubre de 2020 (Rec. 6333/2018).
[79]   SSTC 240/1999, de 20 de diciembre; y 203/2000, de 24 de julio.
[80]   STS (CA) de 14 de abril de 1997 (Rec. 2674/1994).

## 1.2. Funcionarios interinos y diferencias de trato justificadas

Los arts. 16.1 y 18 del EBEP circunscriben el derecho a la promoción interna en favor de los funcionarios de carrera[81]. De esta forma, los funcionarios interinos han de participar en los procesos selectivos por el turno libre y no se les puede eximir de ninguna de las pruebas previstas en la oposición[82]. Téngase en cuenta a este respecto que los

---

[81]   Por lo demás, la STSJ de Castilla y León (CA) de 23 de marzo de 2018 (Rec. 1/2018) a propósito de la convocatoria del proceso selectivo para el acceso a la condición de personal estatutario fijo en plazas de categoría de Enfermero/a del Servicio de Salud de Castilla y León por el sistema de promoción interna, en la que expresamente se exigía estar en servicio activo y con nombramiento como personal estatutario fijo durante al menos dos años en la categoría de procedencia, declara lo siguiente: «*la resolución de aquélla se encuentra avalada no solo por unas bases que en este extremo no planteaban duda interpretativa alguna, sino además por el Estatuto Básico y sobre todo por las Leyes 55/2003 y 2/2007, relativamente del Estatuto Marco y el Estatuto Jurídico del Personal estatutario de los Servicios de Salud que expresamente exigen para participar en estos procesos de selección estar en servicio activo, por lo que si dicha exigencia no se consideraba acorde a los mandatos constitucionales que vedan cualquier interpretación contraria a la existencia de discriminación directa o indirecta, lo que ya de entrada no se admite, la solución en modo alguno pasaba por lo resuelto por el Juzgador, sino por el planteamiento en su caso de la cuestión de inconstitucionalidad, toda vez que la resolución de la Administración era consecuencia obligada del sometimiento a las bases de la convocatoria y estas a la normativa indicada, ya que el hecho de que la situación de excedencia para el cuidado de hijos venga asimilada a la situación en activo a determinados supuestos como es de protección de la Seguridad Social o antigüedad o acceso a cursos de formación, no implica lo expuesto dado el claro tenor de la normativa aplicable, finalmente se ha de indicar, como también invoca expresamente la Administración, que a dicha situación de excedencia voluntaria por cuidado de hijos, pueden acceder libremente funcionarios de todos los sexos, por lo que no cabe admitir la afirmación apriorística de que dichas excedencias siempre son asumidas por mujeres, en cuyo caso dicha situación de excedencia debería asimilarse a la del servicio activo, solo cuando de mujeres se trata, pero no de hombres, dado que en este caso sí que se produciría una evidente discriminación no amparada por la Ley, procediendo por todo ello la estimación del recurso de apelación y con revocación de la sentencia de instancia, se desestima el recurso interpuesto por la recurrente declarando conforme a derecho la actuación de la Administración*».

[82]   STS (CA) de 14 de julio de 1984 (RJ/4350), 16 de diciembre de 1991 (Rec. 75/1986) y 9 de octubre de 1993 (Rec. 6312/1991); y SSTSJ de Cataluña (CA) de 3 de mayo de 2018 (Rec. 379/2017) y de Murcia (CA) de 31 de enero de 2019 (Rec. 135/2018).

funcionarios interinos no han superado proceso competitivo de oposición alguno pues su nombramiento acontece para proveer un puesto de trabajo y garantizar, de este modo, el normal funcionamiento de los servicios siempre que dicho puesto de trabajo no pueda ser proveído con urgencia por un funcionario de carrera. Por tanto, unos y otros no están en la misma situación por cuanto su relación con la Administración es diferente. En definitiva, la «promoción interna» es un procedimiento de ascenso reservado a funcionarios de carrera.

Dicho esto, hay que precisar que en el caso de que un funcionario interino, una vez que adquiere la condición de funcionario de carrera, participe en un procedimiento de promoción interna tiene derecho a que los años que ocupó como funcionario interino le sean computados para cumplir el requisito de antigüedad como funcionario de carrera. En este sentido, la STJCE de 8 de septiembre de 2011 (Asunto C-177/10) señala que cláusula 4ª del Acuerdo marco sobre el trabajo de duración determinada, celebrado el 18 de marzo de 1999, que figura en el anexo de la Directiva 1999/70/CE del Consejo, de 28 de junio de 1999, relativa al Acuerdo marco de la CES, la UNICE y el CEEP sobre el trabajo

---

Por lo demás, la STS (CA) de 6 de mayo de 2020 (Rec. 131/2019) considera que la distinción entre funcionarios de carrera y funcionarios interinos a la hora de valorar los años de servicio a los efectos del acceso a la carrera judicial por concurso entre juristas de reconocida competencia y con más de diez años de ejercicio profesional no es discriminatoria. En este sentido, se afirma lo siguiente: «*En efecto, aquí no se trata de un trato desigual como consecuencia de estar vinculado mediante una relación temporal o no fija, como lo son los funcionarios interinos. No se cuestiona la igualdad en sus relaciones laborales o las consecuencias derivadas de tales relaciones, sino de algo completamente diverso, cual es el acceso a un cuerpo funcionarial distinto al de sus relaciones laborales y perteneciente, además, a un poder distinto del Estado, como lo es el de los jueces de carrera que, sin perjuicio de su estatuto funcionarial, integran el Poder Judicial y no la Administración del Estado o las Administraciones autonómicas o locales. Así, los criterios de valoración que contempla la Ley Orgánica del Poder Judicial y plasman las bases del concurso no se establecen como consecuencia de la relación laboral de los concursantes, sino para acreditar el mérito y capacidad para integrase en el Poder Judicial como funcionarios pertenecientes a la carrera judicial. Y en esa perspectiva, que no es la de la igualdad en las condiciones de trabajo ni en las consecuencias de una relación laboral, no resulta aplicable ni la Directiva ni la jurisprudencia resultante de la misma. Por ello, sin dudar de la primacía y vigencia del derecho comunitario que reclama la demandante, es de rechazar su invocación al caso de la referida Directiva*».

de duración determinada, «*debe interpretarse en el sentido de que se opone a que los períodos de servicio cumplidos por un funcionario interino de una Administración Pública no sean tenidos en cuenta para el acceso de éste, que entre tanto ha tomado posesión como funcionario de carrera, a una promoción interna en la que sólo pueden participar los funcionarios de carrera, a menos que dicha exclusión esté justificada por razones objetivas, en el sentido del apartado 1 de dicha cláusula*» y que «*el mero hecho de que el funcionario interino haya cumplido dichos períodos de servicio sobre la base de un contrato o de una relación de servicio de duración determinada no constituye tal razón objetiva*».

Por último, el desempeño de puestos con carácter de funcionario interino o de personal laboral temporal no habilita para pasar a la situación de excedencia voluntaria por prestación de servicios en el sector público.

## 2. Personal laboral interino

La diferencia entre «indefinido no fijo» y «fijo» se encuentra en la extinción del vínculo contractual. Sin embargo, como subraya la STS de 21 de julio de 2016 (Rec. 134/2015), durante la vigencia del vínculo, el trabajador «indefinido no fijo» «*no puede ver mermado ningún derecho laboral o sindical por el mero hecho de ostentar dicha condición*». En efecto, el art. 15.6 del ET establece que «*los trabajadores con contratos temporales y de duración determinada tendrán los mismos derechos que los trabajadores con contratos de duración indefinida, sin perjuicio de las particularidades específicas de cada una de las modalidades contractuales en materia de extinción del contrato y de aquellas expresamente previstas en la Ley en relación con los contratos formativos*» y que «*cuando corresponda en atención a su naturaleza, tales derechos serán reconocidos en las disposiciones legales y reglamentarias y en los convenios colectivos de manera proporcional, en función del tiempo trabajado*».

Por consiguiente, toda diferencia de tratamiento entre estos dos grupos diferenciados —el de los trabajadores fijos y el de los trabajadores indefinidos y temporales— ha de tener su origen en datos objetivos relacionados con la prestación de trabajo, el sistema de acceso al empleo

público o el régimen jurídico del contrato (en particular en lo relativo
a sus causas de extinción) que las expliquen razonablemente. Así lo
viene a clarificar la Directiva 1999/70/CE, del Consejo, de 28 de junio
de 1999, relativa al Acuerdo marco de la Confederación europea de
sindicatos, la Unión de confederaciones de industria y empleadores de
Europa y el Centro europeo de la empresa pública sobre el trabajo de
duración determinada, que, recogiendo el acuerdo al respecto de los interlocutores sociales europeos que refleja el título de la Directiva, tiene
por objeto precisamente el establecimiento de «un marco general para
garantizar la igualdad de trato a los trabajadores con un contrato de duración determinada, protegiéndolos contra la discriminación» (párrafo
segundo del Preámbulo). Y para el logro del tal objetivo la Directiva
establece, entre otras cuestiones, que *«por lo que respecta a las condiciones
de trabajo, no podrá tratarse a los trabajadores con contratos de duración
determinada de una manera menos favorable que a los trabajadores fijos
comparables por el mero hecho de tener un contrato de duración determinada,
a menos que se justifique un trato diferente por razones objetivas»* (cláusula
4.1).

En definitiva, los trabajadores indefinidos y temporales no pueden,
sin que exista justificación objetiva alguna, ser tratados de manera menos favorable que los trabajadores fijos que se encuentran en una situación comparable.

## 2.1. Trabajadores interinos e igualdad de tratamiento

El trabajador interino no puede ser diferenciado del personal laboral fijo en materia de jornada de trabajo ni de retribuciones o mejoras
voluntarias de la Seguridad Social, ni siquiera de la retribución de la
antigüedad, cuando se demuestre que ambos realizan un trabajo igual
o similar. En este sentido, la STC 71/2016, de 14 de abril, a propósito
de la DA 57.ª de la Ley 10/2012, de 29 de diciembre, de Presupuestos
Generales de la Comunidad Autónoma de Canarias para 2013, que
instaura, con carácter general, la reducción de jornada del personal funcionario interino, del personal laboral indefinido y del personal laboral
temporal, señala que es claro que *«la diferenciación no se establece por*

*razón de la naturaleza del trabajo que se desempeña, sino por el hecho de que este personal no tiene una relación de empleo fija con la Administración».* Esta circunstancia, de acuerdo con la doctrina establecida en la STC 104/2004, de 28 de junio, *«no puede considerarse, por sí sola, una justificación razonable que permita considerar acorde con el principio de igualdad la medida establecida, pues, aunque para acceder a una relación de empleo fija con la Administración, bien como funcionario de carrera, bien como personal laboral fijo, se exija superar unos procesos selectivos que acrediten el mérito y capacidad y estos procesos selectivos sean diferentes de los que han de superar aquellos que tienen un vínculo temporal con la Administración, esta diferente forma de acceso no permite en este supuesto entender justificada la diferencia de trato».* La menor dificultad que tienen los procesos selectivos que superan quienes se incorporan con carácter temporal a la Administración pública respecto de los que tienen que superar aquellos que se integran como personal fijo *«no justifica que respecto de estos trabajadores se adopten medidas que no estén justificadas en datos objetivos relacionados con la prestación de trabajo que tienen que desempeñar o que sean consustanciales a la naturaleza temporal de su relación de empleo».* Por ello, como la medida prevista en la norma cuestionada *«no tiene esta justificación, sino que se fundamenta, como expresamente se reconoce en su apartado primero, en razones de contención de gasto público y tiene como finalidad mantener el empleo público, hacer recaer estas medidas únicamente en los empleados públicos que tienen la condición de temporales no puede considerarse acorde con el principio de igualdad».* En definitiva, esta previsión *«rompe el criterio igualitario entre los trabajadores con contratos de duración determinada y los trabajadores fijos comparables que se deduce de la doctrina de este Tribunal (STC 104/2004, de 28 de junio), así como de la aplicación del Derecho europeo y la interpretación que del mismo ha hecho el Tribunal de Justicia de la Unión Europea».*

Asimismo, el art. 15.6 del ET menciona expresamente la igualdad en cuanto al cómputo de la antigüedad, lo que viene igualmente recogido en la jurisprudencia —que incluso ha admitido que la antigüedad se compute prescindiendo de las interrupciones superiores a 20 días siempre que no sean significativas y se detecte una vinculación unitaria prolongada en el tiempo[83]—. Sin embargo, recientemente la doctrina jurisprudencial ha dado un paso más al afirmar que no resulta aplicable la doctrina sobre la unidad esencial del vínculo en orden al cómputo de la antigüedad a efectos retributivos[84]. Ciertamente, con el complemento de antigüedad se compensa la adscripción de un trabajador a la empresa o la experiencia adquirida durante el tiempo de servicios, circunstancias que no se modifican por el hecho de haber existido interrupciones más o menos largas en el servicio al mismo empleador, máxime si tales interrupciones fueron por imposición de este último.

La carrera profesional horizontal lleva aparejado un complemento retributivo por lo que forma parte de las condiciones de trabajo y, en consecuencia, no procede excluir de ella al personal laboral no fijo si su trabajo es idéntico al realizado por el personal laboral fijo[85].

Son contrarias a la equiparación retributiva las dobles escalas salariales que establezcan trato distinto solo en función de la fecha de contratación[86]. En el ámbito privado, la negociación colectiva viene incorporando en los últimos tiempos un importante número de cláusulas en las que se fijan «salarios de ingreso» o «de entrada», de suerte que los trabajadores que se incorporan a la empresa deben superar el tiempo de permanencia correspondiente en la categoría de entrada para promocionar económica y profesionalmente dentro del grupo profesional. En principio, los salarios de ingreso no vulneran la prohibición de discrimi-

---

[83]    SSTS de 1 de marzo de 2007 (Rec. 5049/2005) y 21 de septiembre de 2017 (Rec. 2764/2015). Por su parte, la STS de 20 de octubre de 2016 (Rec. 242/2015) señala a propósito del art. 37 del Convenio Colectivo para el personal laboral de la Comunidad de Madrid que «*nada impide que el convenio señale que no se tendrán en cuenta las rupturas del vínculo contractual superiores a tres meses siempre y cuando tal régimen se aplique de modo igual a todos los trabajadores que hayan estado vinculados a la empresa mediante diversos contratos de trabajo, con independencia de la naturaleza temporal de los mismos*».

[84]    STS (Social) de 28 de enero de 2020 (Rec. 96/2019).

[85]    ATJUE de 22 de marzo de 2018, C-315/17 (Asunto Pilar Centeno); SSTS (CA) de 21 de febrero de 2019 (Rec. 1805/2017), 6 de marzo de 2019 (Rec. 2595/2017) y 8 de marzo de 2019 (Rec. 2751/2017); y SSTS (Social) de 6 de marzo de 2019 (Rec. 8/2018) y 3 de abril de 2019 (Rec. 1/2018).

[86]    STC 27/2004, de 4 de marzo.

nación, pues la antigüedad en la empresa no es un criterio diferenciador comprendido en las causas de discriminación prohibidas por los arts. 14 de la Constitución Española y 4.2.c) y 17 del ET[87]. Pero el trato salarial diferenciado en función del tiempo de servicios en la empresa sí puede afectar al derecho a la igualdad de trato en la medida en que los trabajadores tienen derecho a igual salario por trabajo igual o trabajo de igual valor.

A mayor abundamiento, el principio de igualdad de trato entre trabajadores temporales y fijos juega también a favor de los trabajadores que forman parte de las bolsas de empleo para la contratación temporal, a pesar de que no tengan verdaderos derechos adquiridos a los puestos de trabajo en cuestión, sino solamente meras «expectativas de derechos» a los mismos. Así lo subraya la STSJ de Andalucía de 12 de junio de 2018 (Rec. 3/2018) a propósito del conflicto colectivo contra la empresa demandada Verificaciones Industriales de Andalucía S.A., reclamando que se declare y condene a la empresa demandada a respetar las categorías profesionales, salarios y tiempo trabajado, ya adquiridos, de los trabajadores y trabajadoras que son contratados a través de la bolsa de empleo. Por la empresa demandada Verificaciones Industriales de Andalucía S.A. se venía cubriendo las situaciones de Incapacidad Temporal, vacaciones y otras necesidades, mediante un listado unilateral, y no pactado, de la propia empresa, a la que habían accedido unos 400 trabajadores, y a los que la empresa demandada llamaba sin ningún orden, si bien los trabajadores iban consiguiendo una cualificación profesional, de forma que la empresa demandada llamaba, según las necesidades y atendiendo a titulación, experiencia y cualificación, para las diferentes categorías de Inspectores, verificadores y administrativo, y se reconocía a los trabajadores llamados y contratados por contrato eventual el nivel, categoría, funciones y retribución que habían adquirido en situaciones y llamamientos anteriores y se le computaba el tiempo de servicios, y, sin embargo, tras el nuevo proceso de selección y contratación de personal de 21-3-17, han sido llamados los trabajadores que la superaron, y según

---

[87] SSTS 13 octubre 2004 (Rec. 132/2003), 20 junio 2005 (Rec. 29/2004), 20 febrero 2007 (Rec. 182/2005), 30 octubre 2007 (Rec. 425/2007) y 11 noviembre 2010 (Rec. 153/2009).

las necesidades de la empresa demandada, pero, a diferencia de lo que ocurría con anterioridad, no se les ha respetado el nivel, categoría, funciones y retribución que habían adquirido en situaciones y llamamientos anteriores ni se les ha computado el tiempo de servicios prestado, de forma que son contratados como si fueran trabajadores nuevos que no han prestado nunca servicios a la empresa demandada, y en el Nivel a), de forma que son contratados en cada llamamiento como si fueran trabajadores nuevos que no han prestado nunca servicios a la empresa demandada, y en el Nivel a) de Formación como INSP-VER-ADMT FORMAC, y no en el nivel que tenían C, D, E o cual fuese, sufriendo con ello una importante merma en su cualificación profesional, e igualmente retributiva al reconocérsele el Nivel A) y salario base anual de 13.631,85 €, y no el correspondiente al Nivel que tenían reconocido por servicios anteriores como Nivel C 19941,60, Nivel D 17.077,80 €. Pues bien, la Sala de lo Social del Tribunal Superior de Justicia de Andalucía, con arreglo al indicado precepto estatutario, Directiva y doctrina judicial, acoge «*la pretensión ejercitada de que les sean respetados a los trabajadores que forman parte de la Lista de candidatos expresada, o bolsa de empleo, el nivel, categoría, funciones y retribución que habían adquirido en situaciones y llamamientos anteriores, sin que a ello obsten las alegaciones de la empresa demandada, de que no tienen relación laboral vigente pues como se ha indicado los indicados trabajadores forman parte de una lista de candidatos y tienen tal derecho en cada llamamiento como personal laboral temporal y mientras se encuentren incluidos en tal Lista de candidatos, como tampoco la de que no han impugnado el proceso de selección o que han firmado participar en el mismo pues son indisponibles con arreglo al art. 3.5 del ET*».

## 2.2. Trabajadores interinos y diferencias de trato justificadas

La desigualdad de trato de los trabajadores interinos respecto de los trabajadores fijos está justificada por la existencia de elementos precisos y concretos, entre otros, en los supuestos de hecho que se señalan en los siguientes apartados.

## 2.2.1. *La exclusión de los trabajadores interinos de los procesos de provisión de puestos de trabajo*

Existe una vinculación evidente entre el contrato indefinido no fijo y la plaza desempeñada. Efectivamente, dicha vinculación jurídica es un elemento constitutivo del tipo contractual. Y, siendo así, los trabajadores interinos no pueden participar en los procesos de provisión de los puestos de trabajo ni en los concursos de traslados, no siéndoles de aplicación los arts. 83, 73 y 81 del EBEP.

Asimismo, la naturaleza del vínculo y su provisionalidad nos llevan a la conclusión de que no puede aplicarse al mismo la institución de la excedencia voluntaria especial por incompatibilidad que contempla el art. 10 de la Ley 53/1984, de 26 de diciembre, de Incompatibilidades del Personal al Servicio de las Administraciones Públicas (LI). En primer lugar, porque la excedencia funciona como una garantía de la estabilidad y esta garantía no existe para el trabajador interino. Además, la excedencia voluntaria se caracteriza por otorgar al trabajador fijo excedente únicamente «*un derecho preferente al reingreso en las vacantes de igual o similar categoría*» y este derecho no puede reconocerse al interino, porque la relación de éste está vinculada exclusivamente al puesto de trabajo que ocupa. Por ello, sólo podría reingresar en la vacante de su puesto de trabajo, nunca en otras, e incluso para aquélla tampoco podría reconocerse este derecho del art. 46.5 del ET, pues precisamente lo que tiene que hacer la Administración es proveer dicha vacante por los procedimientos reglamentarios en orden a asegurar que la cobertura deba producirse respetando los principios de igualdad, mérito y publicidad, con lo que la preferencia está excluida. El trabajador podrá optar a la plaza, pero sólo en los sistemas de provisión externos y en igualdad de condiciones con el resto de los participantes. La incompatibilidad sobrevenida no puede dar al trabajador más derechos de los que tenía. El único eventual derecho que podría tener el trabajador interino sería, si la plaza continuara vacante, el de obtener una adscripción provisional mientras se procede a su provisión definitiva.

## 2.2.2.  La exclusión de los trabajadores interinos de los procesos selectivos «blandos»

Los trabajadores indefinidos no fijos de plantilla tampoco pueden participar en los procesos selectivos «blandos» en donde los requisitos de igualdad, mérito y capacidad se adecuan en mayor o menor grado a los aspirantes internos, en perjuicio de los candidatos de libre acceso, tales como los procesos de promoción interna (a) o de funcionarización (b).

a) El art. 14.c) del EBEP contempla el derecho de los empleados públicos, incluidos los trabajadores, *«a la progresión en la carrera profesional y promoción interna según principios constitucionales de igualdad, mérito y capacidad mediante la implantación de sistemas objetivos y transparentes de evaluación»*. Sin embargo, el art. 19.2 del mismo texto legal determina que *«la carrera profesional y la promoción del personal laboral se hará efectiva a través de los procedimientos previstos en el Estatuto de los Trabajadores o en los convenios colectivos»*. De este modo, los convenios colectivos se convierten en fuente de derecho principal, sin que se prevea un marco legal máximo o mínimo para la autonomía colectiva, aplicándose, en su defecto, la legislación laboral. Pues bien, la negociación colectiva vigente en el sector público administrativo únicamente reconoce el derecho a la promoción interna al personal laboral fijo, dejando fuera del mismo al personal laboral temporal. Ciertamente, aunque el trabajador interino no puede ser diferenciado del personal laboral fijo a efectos retributivos, no cabe una equiparación total entre los mismos a efectos de la promoción interna, ya que aquel no ha superado proceso competitivo de selección alguno.

b) La DT 2.ª del EBEP establece que el *«personal laboral fijo»* que desempeña funciones o puestos clasificados como propios del personal funcionario a la entrada en vigor de la Ley 7/2007, de 12 de abril, del Estatuto Básico del Empleado Público, o pase a desempeñarlos en virtud de pruebas de selección o promoción convocadas antes de dicha fecha, *«podrá seguir desempeñándolos»* y *«participar en los procesos selectivos de promoción interna convocados por el sistema de concurso-oposición, de forma independiente o conjunta con los procesos selectivos de libre concurrencia, en aquellos Cuerpos y Escalas a los que figuren adscritas las funciones o los puestos que desempeñe, siempre que posea la titulación necesaria y reúna los restantes requisitos exigidos, valorándose a estos efectos como mérito los servicios efectivos prestados como personal laboral fijo y las pruebas selectivas superadas para acceder a esta condición».* De este modo, la DT 2.ª del EBEP se dirige única y exclusivamente al personal laboral «fijo», por lo que el personal laboral temporal queda excluido de este peculiar sistema de «promoción interna de funcionarización o promoción horizontal cruzada»[88]. En este sentido, en sede judicial se entiende que existe una justificación objetiva y razonable para dicha exclusión, pues lo contrario supondría que se permitiese el acceso a la función pública a quien no ha superado un proceso selectivo, significando la infracción de los principios de mérito y capacidad, recogidos en los artículos 23.2 y 103.3 de la Constitución española[89].

En definitiva, los trabajadores interinos sólo pueden acceder a la condición de funcionarios de carrera o de personal laboral fijo a través de una convocatoria pública y por medio de una oposición, concurso-oposición o concurso de méritos libres en los que se garanticen en todo caso los principios de igualdad, mérito y capacidad. De este modo, se exige siempre la superación de un proceso selectivo, si bien en el seno de este cabe hacer valoración de los servicios prestados en los términos previstos en el art. 61.3 del EBEP y en la doctrina constitucional sobre la valoración del mérito de la antigüedad o previa prestación de servicios. En este sentido, el nuevo art. 10.2 de esta disposición legal indica que el nombramiento derivado de los procedimientos de selección del personal funcionario interino *«en ningún caso dará lugar al reconocimiento de la condición de funcionario de carrera».*

---

[88]  Por su parte, la STS de 6 de mayo de 2009 (Rec. 69/2008) pone de manifiesto que la DT 2.ª y el art. 76 del EBEP han modificado el mandato del IV Convenio colectivo Único para el Personal Laboral de la Generalitat, en virtud del cual podían acceder a plazas que no fueran de funcionarios, trabajadores temporales e indefinidos no fijos que hubieran desempeñado labores de dichos puestos de trabajo sin titulación pero con capacidad acreditada por el servicio, pero en dicha convocatoria no se incluyeron, sin que el Convenio Colectivo sea fuente de condición más beneficiosa, dado su carácter normativo.

[89]  STJS de Galicia (CA) de 15 de mayo de 2020 (Rec. 72/2019).

*Capítulo Cuarto*

# La extinción de la relación del personal interino

## I. PERSONAL FUNCIONARIO INTERINO

De conformidad con el nuevo art. 10.3 del EBEP, en todo caso, la Administración *«formalizará de oficio la finalización de la relación de interinidad por cualquiera de las siguientes causas, además de por las previstas en el artículo 63, sin derecho a compensación alguna: a) Por la cobertura reglada del puesto por personal funcionario de carrera a través de cualquiera de los procedimientos legalmente establecidos. b) Por razones organizativas que den lugar a la supresión o a la amortización de los puestos asignados. c) Por la finalización del plazo autorizado expresamente recogido en su nombramiento. d) Por la finalización de la causa que dio lugar a su nombramiento».* De este modo, el cese del personal funcionario interino se puede producir por las mismas causas que el de los funcionarios de carrera, toda vez que a aquellos les resulta aplicable el régimen general de estos en todo lo que no sea incompatible con la provisionalidad de su nombramiento (art. 10.5 EBEP) y cuando finalice la causa que dé lugar a su nombramiento (art. 10.3 del EBEP). En todos los casos, la Administración formalizará de oficio la finalización del nombramiento del funcionario interino sin derecho a compensación alguna.

Y, así, habrá que distinguir los siguientes supuestos de hecho en los que finaliza la causa que dio lugar al nombramiento sin derecho a compensación alguna[90]:

---

[90]    Según la STS (CA) de 9 de julio de 2019 (Rec. 1930/2017), el cese de los funcionarios docentes interinos de los Cuerpos Docentes no universitarios *«al final del período lectivo del curso escolar, basado sólo en la causa de que en los dos meses restantes de éste (julio y agosto) desaparece la necesidad y urgencia que motivó su nombramiento, no comporta un trato desigual no justificado con respecto a los funcionarios docentes fijos o de carrera».* Cfr. la STJUE de 21 de noviembre de 2018 (Asunto C-245/17). Es más, según la STS (CA) de 16 de julio de 2020 (Rec. 793/2018), *«la finalización*

1.º) El cese de los funcionarios interinos por vacante se producirá por la adjudicación de la vacante en propiedad a través de cualesquiera de los procedimientos reglamentarios (de selección, promoción interna o provisión de puestos de trabajo como el concurso o la libre designación)[91] o por razones organizativas que den lugar a la supresión o amortización de la plaza vacante. El cese del funcionario interino con una única relación de servicios por la cobertura reglamentaria de la plaza por un funcionario de carrera no determina el derecho a su conversión en personal indefinido propio del ámbito laboral[92] ni da lugar a derecho a

---

*del vínculo de relación de servicio se produce en las respectivas fechas de los ceses del personal funcionario interino —que en este caso fue a 30 de junio de cada uno de los años reclamados—, y la iniciación de un nueva relación de servicio al inicio del siguiente curso escolar no invalida los efectos jurídicos de cada uno de los ceses precedentes, y, por ende, no otorga derecho alguno al funcionario interino en esta situación para percibir retribuciones por el periodo de tiempo transcurrido entre el cese anterior y el inicio de una nueva relación de servicio, como tampoco otorga derecho al reconocimiento de otros efectos de índole administrativa, como antigüedad o cómputo de servicios prestados, en relación al indicado periodo».* Idea en la que insisten las SSTS (CA) de 12 de noviembre de 2020 (Rec. 6469/2018), 1 de diciembre de 2020 (Rec. 2516/2019), 16 de diciembre de 2020 (Rec. 1812/2019), 10 de febrero de 2021 (Rec. 3155/2019), 24 de febrero de 2021 (Rec. 4130/2019), 3 de marzo de 2021 (Rec. 4128/2019), 16 de abril de 2021 (Rec. 4294/2019), 19 de abril de 2021 (Rec. 4283/2019), 29 de abril de 2021 (Rec. 5101/2019), 10 de mayo de 2021 (Rec. 5291/2019), 12 de mayo de 2021 (Rec. 4438/2019) y 10 de junio de 2021 (Rec. 5143/2019), al afirmar que la no retribución en julio/agosto al personal docente interino no es discriminatoria. Ahora bien, si los funcionarios interinos no estaban a la espera de una vacante entre el 1 y el 10 de septiembre, pues ya conocían su plaza de destino desde el 31 de julio anterior, la no incorporación el 1 de septiembre del profesorado interino como sí lo hacía el profesorado titular, constituye una vulneración del principio de igualdad y no discriminación [STS de 30 de noviembre de 2020 (Rec. 7960/2018)]. En cambio, la STS (CA) de 11 de junio de 2018 (Rec. 3765/2015) entendió que el Acuerdo del Consejo de Gobierno de la Región de Murcia, por el que son cesados el 30 de junio de 2012 y decide suspender los derechos retributivos de los meses de julio y agosto del curso escolar, vulnera el principio de no discriminación.

91    SSTS (CA) de 2 de junio de 1981 (RJ/2499), 26 de diciembre de 1984 (RJ/6727) y 9 de mayo de 1986 (RJ/2360).

92    STS (CA) de 29 de octubre de 2020 (Rec. 1868/2018).

indemnización[93]. Y ello es así, según la doctrina jurisprudencial, aunque se trate un funcionario interino con una relación de servicios prolongada en el tiempo —por ejemplo, durante siete años—, precedida, incluso, de una previa de pocos meses[94]. Más, tras la reforma operada por el RD-l 14/2021, tal planteamiento podrá mantenerse siempre y cuando no se haya superado el plazo máximo de tres años en los términos previstos en el apartado 4 del art. 10 del EBEP, pues, de incumplirse dicho plazo, el funcionario tendrá derecho a la compensación económica equivalente a veinte días de sus retribuciones fijas por año de servicio, prorrateándose por meses los períodos de tiempo inferiores a un año, hasta un máximo de doce mensualidades (DA 17.ª.4 EBEP).

2.º) El funcionario interino que sustituye al titular del puesto de trabajo ausente por cualquier causa cesará cuando este se reincorpore de manera efectiva o bien, si pierde el derecho a la reserva del puesto de trabajo y ese puesto queda vacante, cuando se incorpore otro funcionario de carrera por un sistema legalmente previsto, si bien en este último supuesto, tras la reforma operada por el RD-l 14/2021, se deberá efectuar un nuevo nombramiento de personal funcionario interino[95]. En cambio, la Administración no puede cesar al personal sustituto cuando no se ha reincorporado el titular del puesto de trabajo ni este ha perdido el derecho a hacerlo[96].

---

[93]  SSTS (CA) de 28 de mayo de 2020 (Rec. 5801/2017), 21 de julio de 2020 (Rec. 102/2018), 24 de septiembre de 2020 (Rec. 2302/2018), 29 de octubre de 2020 (Rec. 2596/2018) y 23 de noviembre de 2020 (Rec. 5347/2018).

[94]  SSTS (CA) de 28 de mayo de 2020 (Rec. 5801/2017), 29 de octubre de 2020 (Recs. 1868/2018 y 2596/2018) y 23 de noviembre de 2020 (Rec. 5347/2018).

[95]  Por lo demás, la cláusula 4, apartado 1, del Acuerdo Marco sobre el trabajo de duración determinada, celebrado el 18 de marzo de 1999, que figura en el anexo de la Directiva 1999/70/CE del Consejo, de 28 de junio de 1999, relativa al Acuerdo Marco de la CES, la UNICE y el CEEP sobre el trabajo de duración determinada, no se opone a una normativa nacional como la española que no prevé el abono de indemnización alguna a los funcionarios interinos cuando se extingue la relación de servicio [STJUE de 22 de enero de 2020 (Asunto C-177/18)].

[96]  STC (CA) de 20 de enero de 2020 (Rec. 2677/2017).

3.º) En los nombramientos de interinidad para programas de carácter temporal cuando termine el programa o se supere el límite de duración fijado en tres o cuatro años.

4.º) El cese de los funcionarios interinos eventuales se producirá al finalizar el plazo por el que se nombraron o al desaparecer la circunstancia que motivó el nombramiento.

Por lo demás, aunque en el anuncio de la convocatoria o el nombramiento se limite el tiempo o plazo máximo de duración de la interinidad, transcurrido ese plazo tope, el ocupante del cargo con carácter provisional no consolida la propiedad del mismo, ya que de interpretar lo contrario equivaldría a conseguir el logro de los empleos públicos por prescripción, sistema no autorizado en las normas legislativas vigentes[97].

## II. PERSONAL LABORAL INTERINO

### 1. Reglas comunes

Tanto en la interinidad por vacante como en la interinidad por sustitución, una vez producida la causa de extinción del contrato, si no hubiera denuncia expresa y el trabajador continuara prestando sus servicios, el contrato se considerará prorrogado tácitamente por tiempo indefinido, salvo prueba en contrario que acredite la naturaleza temporal de la prestación [arts. 49.1.c) ET y 8.2 RD 2720/1998].

De la obligación de preaviso fijada en el art. 8.3.1.º del RD 2720/1998 —quince días cuando el contrato tiene una duración superior al año— queda exceptuado expresamente el contrato de interinidad *«en el que se estará a lo pactado»*. No obstante, si el plazo de preaviso se pacta, su incumplimiento por el empresario dará lugar a una indemnización equivalente al salario correspondiente a los días en que dicho plazo se ha incumplido (art. 8.3.2.º RD 2720/1998).

---

[97]    STS (CA) de 9 de mayo de 1986 (RJ/2360).

Por expresa exclusión del art. 49.1.c) del ET, ni al finalizar el contrato de interinidad por sustitución[98], ni al finalizar el de interinidad por vacante[99], el trabajador interino tiene derecho a recibir la indemnización por fin de contrato que sí reconoce la ley en el resto de contratos temporales «estructurales». Dicho precepto fue considerado contrario a la cláusula 4 del Acuerdo Marco sobre el trabajo de duración determinada, que figura en el anexo de la Directiva 1999/70/CE del Consejo, de 28 de junio de 1999, relativa al Acuerdo marco de la CES, la UNICE y el CEEP sobre el trabajo de duración determinada [STJUE de 14-9-2016 (Asunto C-596/2014)]. No obstante, posteriormente el Tribunal de Justicia de la Unión Europea ha corregido su criterio sobre la base del conocimiento que tiene el trabajador, desde el mismo momento de celebración del contrato, de la fecha o acontecimiento concreto que determinan su término; de forma que no es contraria a la cláusula 4.ap. 1 del Acuerdo Marco antes citado la normativa interna que no contempla indemnización alguna a favor de los trabajadores con contratos celebrados para cubrir temporalmente un puesto durante el proceso de selección o de promoción para la cobertura definitiva del puesto, al vencer el término[100]. Tales consideraciones son, mutatis mutandis, trasladables al contrato de interinidad por sustitución, máxime cuando la situación de suspensión del contrato, que es la que sirve de base al propio contrato de interinidad, solo comporta la exoneración del trabajo y del pago de salarios, pero debe ser tenida en cuenta a los efectos del cómputo de

---

[98]    SSTS de 12 de mayo de 2020 (Recud. 63/2018), 2 de febrero de 2021 (Recud. 3204/2018) y 2 de marzo de 2021 (Recuds. 3660/2018 y 3600/2018).

[99]    SSTS de 13 de marzo de 2019 (Recud. 3970/2016), 23 de octubre de 2019 (Recud. 12/2018), 3 de diciembre de 2019 (Recuds. 2921/2018, 1918/2018, 3284/2018, 2481/2018 y 3107/2018), 12 de mayo de 2020 (Recud. 63/2018), 10 de septiembre de 2020 (Recud. 1398/2018), 11 de septiembre de 2020 (Recud. 1246/2018), 17 de septiembre de 2020 (Recud. 1702/2018), 30 de septiembre de 2020 (Recud. 2249/2018), 1 de octubre de 2020 (Recud. 3187/2018), 11 de noviembre de 2020 (Recud. 3716/2018), 2 de diciembre de 2020 (Recud. 3181/2018), 16 de febrero de 2021 (Recud. 2272/2018), 3 de marzo de 2021 (Recud. 2397/2018) y 4 de marzo de 2021 (Recuds. 1908/2019 y 2397/2018).

[100]   STJUE [Gran Sala] de 5-6-2018 (Asunto C-677/16).

antigüedad del trabajador sustituido de cara a la eventual extinción de su contrato de trabajo[101].

## 2. *Contrato de interinidad por sustitución*

El llamado «contrato de interinidad por sustitución» se extingue, específicamente, por la reincorporación del trabajador sustituido dentro del plazo legal o convencionalmente establecido (a), por el vencimiento de dicho plazo sin reincorporación efectiva de aquel (b) o cuando desaparezca la causa que dio lugar a la reserva del puesto de trabajo (c) [arts. 49.1.c) ET y 4.2 y 8.1.c) RD 2720/1998].

a) El reingreso del trabajador al que el interino sustituye determina la finalización del contrato de interinidad. Una vez producida la reincorporación del trabajador sustituido, si no hubiera denuncia expresa y el trabajador interino continuara prestando sus servicios, el contrato de interinidad «*se considerará prorrogado tácitamente por tiempo indefinido, salvo prueba en contrario que acredite la naturaleza temporal de la prestación*», es decir, siempre que se den las causas justificadoras de la temporalidad [arts. 49.1.c) ET y 8.2 RD 2720/1998][102]. En principio, la continuación del trabajador sustituto, con posterioridad a la reincorporación del sustituido, puede evidenciar la voluntad de la empresa de convertir el contrato en indefinido, pero no siempre puede llegarse a esa conclusión especialmente en el ámbito del sector público administrativo. En efecto, cuando se trata de la Administración como empresa, no existe esa relación directa e inmediata entre la dirección y el trabajador, que permite al empleador en cualquier momento conocer la modificación de la situación de alta o baja de un trabajador.

b) El contrato de interinidad por sustitución se extingue por «*el vencimiento del plazo legal o convencionalmente establecido para la reincorporación*» del trabajador sustituido.

---

[101]    STS de 25 de febrero de 1985 (RJ/694).
[102]    STS de 22 de diciembre de 2011 (Recud. 734/2011).

c) Por último, también procede la extinción del contrato por terminación de la causa que dio lugar a la interinidad. De este modo, cuando se extingue el derecho a la reserva del puesto de trabajo del trabajador sustituido se produce la finalización del contrato del sustituto. En definitiva, la no reincorporación del sustituido, o la desaparición de la causa que dio lugar a la reserva de puesto de trabajo o el transcurso del plazo durante el que hubiera de desarrollarse el procedimiento de selección, determinará la extinción del contrato de interinidad, con lo cual prima el término sobre la condición resolutoria. Y así, el fallecimiento, la incapacidad permanente, la jubilación o la no reincorporación en tiempo del empleado sustituido —como, por ejemplo, cuando finaliza el período de baja por incapacidad temporal o maternidad sin que se produzca la incorporación de la persona sustituida— producen la extinción o quiebra del contrato de interinidad[103], no lo convierten en indefinido ni en interino por vacante[104]. Igualmente, el contrato de interinidad se extingue cuando el trabajador ausente o con reducción de jornada por cuidado de un menor pasa a la situación de excedente voluntario, ya que a partir de dicho momento el sustituido ya no conserva la reserva del puesto de trabajo y solamente tiene «*un derecho preferente al reingreso en las vacantes de igual o similar categoría a la suya que hubiera o se produjeran en la empresa*» (art. 46.5 ET)[105]. Una vez producida la pérdida del derecho a la reserva de puesto de trabajo por parte del trabajador sustituido, si no hubiera denuncia expresa y el trabajador interino continuara prestando sus servicios, el contrato de interinidad «*se considerará prorrogado tácitamente por tiempo indefinido, salvo prueba en contrario que acredite la naturaleza temporal de la prestación*» [arts. 49.1.c) ET y 8.2 RD 2720/1998]. En tal caso, la Administración Pública podría aducir que el objeto del contrato de interinidad ha pasado a ser la cobertura del puesto de trabajo dejado vacante por el excedente voluntario durante el proceso de selección o

---

[103]  SSTS de 20 de enero de 1997 (Recud. 967/1996), 20 de mayo de 1998 (Recud. 4350/1997), 24 de enero 2000 (Recud. 652/1999) y 30 de octubre de 2000 (Recud. 2274/1999).

[104]  SSTS de 2 de abril de 2002 (Recud. 1031/2001), 18 de julio de 2003 (Recud. 4174/2002), 29 de septiembre de 2003 (Recud. 3539/2002) y 3 de febrero de 2004 (Recud. 1100/2003).

[105]  STS de 19 de julio de 2016 (Recud. 2258/2014).

promoción para su cobertura definitiva. Pero, lo que está fuera de toda duda es que el reingreso del trabajador excedente voluntario al margen de los procesos reglamentarios de cobertura de vacantes no justifica la extinción del contrato del interino que merece la calificación de despido improcedente[106].

## 3. Contrato de interinidad por vacante

En los casos de interinidad por procesos de selección o promoción, el contrato se extingue por el transcurso del plazo de tres meses a que antes se ha hecho referencia o el que resulte de aplicación en las Administraciones Públicas, previa denuncia y sin preaviso, salvo pacto en contrario [arts. 49.1.c) ET y 8.1.c) RD 2720/1998]. De este modo, el mero transcurso del plazo correspondiente permite extinguir el contrato de interinidad (pero en las Administraciones Públicas no está establecido un plazo máximo) [107].

Además, el contrato de interinidad por vacante se extingue por la conclusión del proceso de selección, promoción interna o provisión para la cobertura definitiva de la vacante de que se trate (a) o por la amortización de la plaza vacante (b)[108].

a) El contrato de interinidad se extinguirá válidamente por el fin del proceso de selección, promoción o provisión para la cobertura definitiva del puesto de trabajo tanto si se ha producido la efectiva cobertura de este como no.

Al respecto, cabe subrayar lo siguiente:

- El contrato de interinidad por vacante se extingue por la adjudicación de la vacante en propiedad —aunque el adjudicatario

---

[106]    STS de 5 de julio de 2016 (Recud. 84/2015).

[107]    Entre otras, la STS de 22 de octubre de 1997 (Recud. 3765/1996).

[108]    El cese del interino para efectuar otro nombramiento bajo la misma modalidad contractual de interinidad por vacante constituye un despido improcedente [SSTS de 29 de marzo de 1999 (Recud. 2598/1998), 14 de junio de 1999 (Recud. 4271/1998) y 19 de octubre de 1999 (Recud. 1256/1998)].

no se incorpore efectivamente por haber solicitado y obtenido, simultáneamente, una excedencia u otro puesto de trabajo[109] o por haber renunciado a la plaza adjudicada[110]—.

– La cobertura definitiva de la plaza puede tener lugar a través de cualesquiera de los procedimientos reglamentarios (de selección, promoción interna, concurso de traslado o de promoción profesional específica). De este modo, cuando según la normativa convencional aplicable, con carácter previo a su inclusión en la oferta de empleo público, la plaza debe ser ofertada para su cobertura por los procesos de promoción profesional específica o de concurso de traslado, el contrato de interinidad por vacante llega a su término al cubrirse en propiedad dicha plaza a través de tales procesos de provisión[111]. No obstante, el contrato del interino podrá ser extinguido si se ha convocado y resuelto un concurso o proceso selectivo en el que esté comprendido el puesto que desempeña[112]. Así resulta del art. 4.1 en su párrafo segundo, del RD 2720/1998 cuando señala que el contrato de interinidad se podrá celebrar para cubrir temporalmente un puesto de trabajo durante el proceso de selección o promoción para su cobertura definitiva. Hay una conexión lógica y evidente entre el puesto de trabajo que desempeña provisionalmente el interino y el proceso de selección

---

[109]  SSTS de 16 de mayo de 2005 (Rec. 2412/2004), 25 de enero de 2007 (Recud. 5482/2005), 19 de septiembre de 2019 (Recud. 94/2018), 19 de septiembre de 2019 (Recud. 217/2018), 25 de septiembre de 2019 (Recud. 2039/2018), 8 de enero de 2020 (Recud. 3694/2017), 4 de febrero de 2020 (Recud. 3504/2017), 12 de febrero de 2020 (Recud. 3433/2017), 9 de diciembre de 2020 (Recud. 2694/2018) y 16 de febrero de 2021 (Recud. 2272/2018).

[110]  STS de 4 de marzo de 2020 (Recud. 3738/2017).

[111]  STS de 25 junio de 2019 (Recud. 1349/2015).

[112]  STS de 21 de diciembre de 2012 (Recud. 660/2012). No obstante, debe quedar al margen de una convocatoria ordinaria para la provisión de puestos de trabajo, la plaza ocupada con carácter temporal desde 2004, aunque haya sido objeto de reclasificación en 2007, por estar reservada para ser ofertada en un proceso de consolidación de empleo con carácter extraordinario, de acuerdo con lo establecido en la DT 14.ª del Texto Refundido de la Ley de Función Pública de Galicia [SSTS de 29 de noviembre de 2016 (Recud. 1881/2015) y 18 de mayo de 2017 (Rec. 37/2014)].

mediante el cual se espera conseguir una cobertura definitiva de ese puesto, y así la extinción por la conclusión del proceso según el art. 8.1.c).4ª de la misma disposición reglamentaria solamente tiene sentido si ese proceso era para la cobertura del puesto del interino. No es imprescindible para la extinción del contrato de interinidad que se produzca la efectiva cobertura del puesto, pues el contrato se extinguirá válidamente por el fin del proceso sin que se haya cubierto la plaza, pero sí es necesario que la plaza pueda ser cubierta a través del concurso o proceso, lo que no puede ocurrir si ni siquiera se halla comprendida en aquél.

– La cobertura de la plaza a través del procedimiento de promoción interna determina la lícita extinción del contrato de interinidad por vacante, aunque el interino no tenga la oportunidad de participar en dicho procedimiento. Siendo legal un proceso de selección, no cabe cuestionar su establecimiento como medio de provisión de determinada vacante, ya que se trata de una decisión discrecional de la Administración. Es más, la doctrina de suplicación considera que el hecho de que el Ayuntamiento de Valladolid haya optado por la directa convocatoria de un proceso de promoción interna, en lugar de un concurso de traslados de acuerdo con el orden dispuesto en el art. 10 del Convenio Colectivo para el personal laboral del Ayuntamiento de Valladolid, no es argumento suficiente para deslegitimar el actuar del consistorio, pues, si bien no optó por el orden convencionalmente pactado para tal proceso, no se puede obviar que el procedimiento de promoción interna resulta jurídicamente apropiado para la cobertura del tipo de vacante examinada, al respetar los principios constitucionales de igualdad, mérito y capacidad.

– También procede el cese del interino al declararse desierta la plaza en el concreto proceso de selección, promoción o provisión de que se trate[113]. En este sentido son claros los arts. 4.2.b) y 8.1.c) del RD 2720/1998; estos preceptos no dicen que la duración del

---

[113]    SSTS de 21 de enero de 2013 (Recud. 301/2012), 18 mayo 2015 (Recud. 2135/2014), 19 mayo 2015 (Recud. 2154/2014) y 19 mayo 2015 (Recud. 2552/2014).

contrato de interinidad se supedite a la cobertura del puesto, sino que establecen que la duración del contrato será la del tiempo que dure el proceso para la cobertura definitiva del puesto. Es el agotamiento del tiempo del proceso de selección o promoción y no la cobertura del puesto la circunstancia que permite la extinción del contrato. En consecuencia, no nos encontramos ante un despido, sino ante una válida extinción de la relación laboral que no conlleva indemnización alguna[114].

Otra conclusión podría obtenerse si el contrato de interinidad hubiera previsto expresamente —de forma inequívocamente genérica— que duraría hasta la conclusión de los procesos selectivos regulados en el convenio colectivo que dispone —para la cobertura de plazas vacantes— que en primer término debe acudirse al «concurso de traslados» y que los puestos de trabajo que no lleguen a cubrirse por tal procedimiento formarán parte de la oferta de empleo público de personal laboral, en la que se convocarán simultáneamente en turnos de promoción interna y de acceso libre, sin hacer referencia alguna —no ya exclusiva— a la promoción interna. En tal caso, como subraya la STS de 21 de enero de 2013 (Recud. 301/2012), «*el hecho de que hubiese finalizado el proceso selectivo de «promoción profesional específica» convocado por Orden de 19/Febrero/2008 [por lo tanto, de fecha posterior al contrato], en el que precisamente se declaró desierta la plaza num001, en manera alguna comportaba la llegada del término contemplado en el contrato, en tanto que éste se refería —en plural— a los procesos de selección contemplados en el art. 13 del Convenio, y esta norma colectiva obliga a que la infructuosa promoción interna vaya seguida del sistema general de acceso libre*»[115].

- Las plazas cubiertas por interinos en la modalidad impropia están, jurídicamente, en situación de «vacantes», pudiendo ser cubiertas no solo mediante los mecanismos de provisión y selección

---

[114]   STS de 11 de junio de 2019 (Recud. 2394/2018).
[115]   En el mismo sentido, las SSTS de 18 mayo 2015 (Recud. 2135/2014), 19 de mayo de 2015 (Recud. 2154/2014), 19 de mayo de 2015 (Recud. 2552/2014) y 12 de febrero de 2020 (Recud. 3433/2017).

(concurso de traslados, promoción interna y proceso selectivo), sino también vía reingreso desde una situación de excedencia voluntaria, lo que faculta a la Administración empleadora a cesar al interino para colocar en su puesto al trabajador fijo que reingresa. Ciertamente, el interino afectado no puede esgrimir derecho alguno a continuar ocupando la plaza interina por razón de antigüedad de servicios ni por cualquiera otra causa, por cuanto la pugna entre su derecho y el del excedente reingresado debe siempre resolverse en favor de éste, sin que ello pueda considerarse trato discriminatorio dada la diferencia esencial entre ambos, pues el derecho al reingreso no está condicionado a otra causa que la inexistencia de vacante y el del interino cede ante una causa lícita de terminación de su interinidad como es la ocupación de la vacante, aun con el carácter de provisional.

– También se ha admitido la eficacia de la extinción del contrato de interinidad por cobertura de la plaza por parte de personal fijo prevista convencionalmente, tanto en caso de supresión de puestos de trabajo[116], como por motivos de salud del trabajador fijo[117]. Y así, el interés del trabajador interino debe ceder ante el derecho preferente del trabajador fijo cuyo puesto es suprimido o que, por motivos de salud, no le es posible seguir prestando servicios en su puesto, si así resulta de la regulación convencional.

– En cambio, se ha negado que el contrato de interinidad por ocupación de vacante pueda extinguirse en la Administración Pública a raíz del nombramiento de un funcionario en comisión de servicios, ya que no se trata de una causa reglamentariamente establecida para la extinción del contrato[118]. En este sentido, la STS de 7 de febrero de 2001 (Recud. 2665/2000) aduce que «*una cosa es que vacante una plaza o desierta, celebrado el concurso pueda*

---

[116]  SSTS de 26 de julio de 2006 (Recud. 3160/2005), 28 de noviembre de 2006 (Recud. 3102/2005), 15 de octubre de 2007 (Recud. 4297/2006) y 30 de octubre de 2007 (Recud. 3848/2006).

[117]  STS de 3 de noviembre de 2011 (Recud. 666/2011).

[118]  STS de 7 de febrero de 2001 (Recud. 2665/2000). En el mismo sentido, la STS de 26 de abril de 2002 (Recud. 2709/2001)].

*ser cubierta nombrando a un funcionario en comisión de servicios, y otra muy distinta que a una persona ya nombrada interina para un puesto de trabajo pactando como condición resolutoria que el cese sólo puede producirse en la forma prevista en el contrato y RD 2546/1994 se la cese nombrando a un funcionario en comisión de servicios».* La Administración, producida una vacante por las causas ya dichas *«puede optar por una u otra forma de cubrir la plaza, lo que no puede hacer, es producido el nombramiento del interesado, cesarle nombrando a otro personal en comisión de servicios, es decir de forma temporal».* No se niega la existencia de la comisión de servicios como forma reglamentaria de cubrir una plaza vacante, lo que *«se rechaza es el cese de un interino por dicho procedimiento, dado que expresamente en el contrato, y en el RD 2546/1994 se exige para la extinción del contrato que el puesto sea cubierto con personal fijo a través de cualquiera de los procedimientos legalmente establecidos o suprimiéndola y en el caso concreto aquí debatido el nombramiento de un funcionario en comisión de servicios no está previsto ni en el contrato ni en la normativa legal antes relacionada, como causa reglamentariamente establecida para la extinción del contrato de interinidad».* En fin, la extinción del contrato por la contratación de otro interino que posee la especialidad que requiere el puesto y de la que el interino inicial carece también constituye un despido improcedente[119].

b) El contrato de interinidad por vacante se extingue por la amortización de la plaza vacante en las Administraciones Públicas[120], en cuyo caso hay que seguir el procedimiento de los arts. 51 o 53 ET (despido colectivo u objetivo), con la correspondiente indemnización de 20 días de salario por año de servicio[121]. Ciertamente, en la interinidad por vacante estamos en presencia de *«un contrato a término, siquiera indeterminado, que es el momento en que la vacante necesariamente se cubra tras finalizar el correspondiente proceso de selección»* y *«la amortización de la plaza por nueva RPT —permitida por el art. 74 EBEP—, no puede suponer la*

---

[119]   STS (Social) de 23 de enero de 2020 (Recud. 3279/2017).
[120]   STS de 14 de marzo de 2002 (Rec. 14/2002).
[121]   SSTS de 24 de junio de 2014 (Recud. 217/2013), 14 de julio de 2014 (Recud. 1847/2013) y 21 de octubre de 2014 (Recud. 439/2013).

*automática extinción del contrato de interinidad, pues no está prevista como tal, sino que requiere seguir previamente los trámites de los arts. 51 y 52 ET, aplicables al personal laboral de las Administraciones Públicas [arts. 7 y 11 EBEP], y en los que la nueva RPT ha de tener indudable valor probatorio para acreditar la concurrencia de la correspondiente causa extintiva».*

# Capítulo Quinto

# La utilización abusiva de contratos o relaciones laborales de duración determinada en las Administraciones Públicas

## I. LA DIRECTIVA Y EL ACUERDO MARCO SOBRE EL TRABAJO DE DURACIÓN DETERMINADA

### 1. *La aportación de las normas europeas*

En el ámbito de la Unión Europea no existe un marco general referido a las cuestiones que nos ocupan: la organización del empleo público es, razonablemente, competencia plena de los Estados miembros. Pero las normas europeas pueden condicionarla por la existencia de otros títulos competenciales que legitimen la actualización de las facultades normativas de la Unión. Tal es lo que acontece con las reglas del Acuerdo marco de la CES, la UNICE y el CEEP sobre el trabajo de duración determinada, incorporado como anexo a la Directiva 1999/70/CE del Consejo de 28 de junio de 1999 a efectos de garantizar su aplicación en los Estados miembros en los términos del art. 155 del TFUE.

En línea con documentos anteriores, el preámbulo de la Directiva y las consideraciones generales del Acuerdo fundamentan la intervención europea en esta materia en que la realización del mercado interior debe conducir a una mejora de las condiciones de vida y de trabajo de los trabajadores en la Comunidad Europea mediante la aproximación, por la vía del progreso, de dichas condiciones, en particular en lo que respecta a las formas de trabajo distintas del trabajo por tiempo indefinido, con el fin de alcanzar un mejor equilibrio entre flexibilidad del tiempo de trabajo y seguridad de los trabajadores. Se parte de que los contratos por tiempo indefinido son, y seguirán siendo, la forma más común de relación laboral entre empresarios y trabajadores, ya que contribuyen a la calidad de vida de los trabajadores afectados y a mejorar su rendimiento:

pero también se reconoce que los contratos de trabajo de duración determinada responden, en ciertas circunstancias, a las necesidades de los empresarios y de los trabajadores. En este contexto, el Acuerdo marco establece los principios generales y los requisitos mínimos relativos al trabajo de duración determinada, en particular creando un marco general destinado, de un lado, a garantizar la igualdad de trato a los trabajadores con un contrato de duración determinada y, de otro, a evitar los abusos derivados de la utilización de sucesivas relaciones laborales de duración determinada. De hecho, la cláusula 1ª del Acuerdo Marco establece que:

> «El objeto del presente Acuerdo marco es:
> a) mejorar la calidad del trabajo de duración determinada garantizando el respeto al principio de no discriminación;
> b) establecer un marco para evitar los abusos derivados de la utilización de sucesivos contratos o relaciones laborales de duración determinada».

Obviamente, esta cláusula puede desplegar efectos sobre la cuestión que nos ocupa, en la medida en que se nos plantea el problema del tratamiento que corresponde a personas que han mantenido largas vinculaciones de carácter temporal con las Administraciones Públicas. Para determinar si esto es así resulta necesario despejar tres incógnitas, referidas, la primera, a la aplicabilidad o no de estas reglas en el ámbito del empleo público (2), la segunda, a los criterios para detectar la existencia o no de abuso en la utilización de la contratación temporal (3), y la tercera, a los mecanismos que deben establecer los estados miembros para la evitación de tales abusos (4). A estos efectos, hay que valorar, por supuesto, la ya extensa jurisprudencia del TJUE que ha aplicado la Directiva.

## 2. *Ámbito de aplicación de la Directiva y del Acuerdo marco*

Con arreglo a la cláusula 2, apartado 1, del Acuerdo marco, éste se aplica a los trabajadores con un trabajo de duración determinada cuyo contrato o relación laboral esté definido por la legislación, los convenios colectivos o las prácticas vigentes en cada Estado miembro.

El Tribunal de Justicia ya ha declarado que la Directiva 1999/70 y el Acuerdo marco se aplican a todos los trabajadores cuyas prestaciones sean retribuidas en el marco de una relación laboral de duración determinada que los vincule a su empleador, independientemente de su carácter privado o público, con la única salvedad del margen de apreciación que confiere a los Estados miembros la cláusula 2, punto 2, del Acuerdo marco sobre la aplicación de éste a algunas categorías de contratos o de relaciones laborales y la exclusión, conforme al párrafo cuarto del preámbulo del Acuerdo Marco, de los trabajadores cedidos.

En esta línea, según reiterada jurisprudencia, dichas disposiciones se aplican al personal temporal que presta servicios para las Administraciones Públicas, tanto en régimen laboral como en régimen de Derecho administrativo. Así, las normas que nos ocupan son aplicables, por ejemplo, a los funcionarios interinos[122], el personal estatutario temporal eventual[123] o el personal eventual[124]. Y ello con independencia de los sectores de actividad en los que este personal preste sus servicios (verbigracia, los sectores de la sanidad y de la enseñanza).

## 3. Obligaciones de los Estados miembros

La cláusula 5.1 del Acuerdo marco establece:

> «A efectos de prevenir los abusos como consecuencia de la utilización sucesiva de contratos o relaciones laborales de duración determinada los Estados miembros, previa consulta con los interlocutores sociales y conforme a la legislación, los acuerdos colectivos y las prácticas nacionales, y/o los interlocutores sociales, cuando no existan medidas legales equivalentes para prevenir los abusos, introducirán de forma que se tengan en cuenta las necesidades de los distintos sectores y/o categorías de trabajadores, una o varias de las siguientes medidas:
> a) razones objetivas que justifiquen la renovación de tales contratos o relaciones laborales;
> b) la duración máxima total de los sucesivos contratos de trabajo o relaciones laborales de duración determinada;
> c) el número de renovaciones de tales contratos o relaciones laborales».

---

[122] STJUE de 8 de septiembre de 2011, C-177/10).
[123] STJUE de 14 de septiembre de 2016, C-16/15).
[124] STJUE de 9 de julio de 2015, C-361/12).

Como hemos visto, el Acuerdo marco parte de la premisa de que los contratos de trabajo de duración indefinida constituyen la forma general de relación laboral. Pero reconoce al mismo tiempo que los contratos de duración determinada son característicos del empleo en algunos sectores o para determinadas ocupaciones y actividades (véanse los puntos 6 y 8 de las Consideraciones generales del Acuerdo marco). Habida cuenta de ello, el Acuerdo marco pretende imponer unos límites a la «utilización sucesiva» de este último tipo de relaciones laborales, considerándola fuente potencial de abusos en perjuicio de los trabajadores, imponiendo a los Estados miembros la obligación de introducir en su ordenamiento jurídico las medidas para prevenir y, en su caso, sancionar los abusos derivados de la utilización de sucesivos contratos o relaciones laborales de duración determinada que se enumeran u otras medidas legales equivalentes.

Por lo demás, aunque, a falta de normativa de la Unión en la materia, las modalidades de aplicación de tales normas deben ser determinadas por el ordenamiento jurídico interno de los Estados miembros, en virtud del principio de autonomía de procedimiento de éstos, tales modalidades no deben ser menos favorables que las aplicables a situaciones similares de carácter interno (principio de equivalencia) ni hacer imposible en la práctica o excesivamente difícil el ejercicio de los derechos conferidos por el ordenamiento jurídico de la Unión[125].

## 3.1. Medidas para prevenir los abusos

La cláusula 5, apartado 1, del Acuerdo marco impone a los Estados miembros, a efectos de prevenir los abusos como consecuencia de la utilización sucesiva de contratos o relaciones laborales de duración determinada, la adopción efectiva y vinculante de una o varias de las medidas que enumera cuando su Derecho interno no contemple medidas legales equivalentes. Las tres medidas enumeradas en el apartado 1, letras a) a c), de dicha cláusula se refieren, respectivamente, a las razones objetivas

---

[125]     Por todas, la STJUE de 14 de septiembre de 2016 (Asunto C-16/15).

que justifiquen la renovación de tales contratos o relaciones laborales, a la duración máxima total de los sucesivos contratos de trabajo o relaciones laborales de duración determinada y al número de sus renovaciones.

Los Estados miembros disponen a este respecto de un margen de apreciación, ya que tienen la opción de recurrir, a tal fin, a una o varias de las medidas enunciadas en el apartado 1, letras a) a c), de dicha cláusula, o incluso a medidas legales existentes equivalentes, y ello teniendo en cuenta las necesidades de distintos sectores o categorías de trabajadores[126]. De ello se deduce que, para llevar a cabo tal aplicación, un Estado miembro puede legítimamente optar por no adoptar la medida contemplada en el apartado 1, letra a), de dicha cláusula, consistente en exigir que existan razones objetivas que justifiquen la renovación de los contratos. Por el contrario, puede preferir adoptar una de las medidas o las dos medidas contempladas en el apartado 1, letras b) y c), de la mencionada cláusula, que se refieren, respectivamente, a la duración máxima total de los sucesivos contratos de trabajo o relaciones laborales de duración determinada y al número de renovaciones de tales contratos o relaciones laborales, o incluso optar por mantener una medida legal equivalente existente y ello siempre que, con independencia de cuál sea la medida elegida, se garantice la prevención efectiva de los abusos como consecuencia de la utilización de contratos de trabajo de duración determinada[127].

De ese modo, la cláusula 5, apartado 1, del Acuerdo marco asigna a los Estados miembros un objetivo general, consistente en la prevención de tales abusos, dejándoles sin embargo la elección de los mecanismos para conseguirlo, siempre que no pongan en peligro el objetivo o el efecto útil del Acuerdo marco.

---

[126] STJCE de 23 de abril de 2009 (Asuntos C-378/07 a C-380/07).
[127] Por todas, la STJUE de 26 de noviembre de 2014 (Asuntos C-61/2013, C-63/2013 y C-418/2013).

### 3.1.1. «Razones objetivas» que justifican la renovación sucesiva de contratos de duración determinada

Por lo que se refiere la primera de las medidas posibles (cláusula 5, apartado 1, letra a), el concepto de *«razones objetivas»* se refiere a las circunstancias específicas y concretas que caracterizan una determinada actividad y que, por tanto, pueden justificar en ese contexto particular la utilización sucesiva de contratos de trabajo de duración determinada[128]. Tales circunstancias pueden tener su origen en la especial naturaleza de las tareas para cuya realización se celebran tales contratos y en las características inherentes a las mismas o, eventualmente, en la persecución de un objetivo legítimo de política social por parte de un Estado miembro. Por consiguiente, el concepto de *«razones objetivas»* exige que la normativa nacional justifique la utilización de este tipo particular de relaciones laborales por la existencia de factores concretos, derivados principalmente de la actividad de que se trate y de las condiciones en que ésta se desarrolla.

En cambio, no cumpliría los requisitos especificados en los dos apartados anteriores una disposición nacional que se limitase a autorizar la utilización sucesiva de contratos de trabajo de duración determinada de un modo general y abstracto a través de una norma legal o reglamentaria[129]. En efecto, una disposición de esta índole, de carácter meramente formal y que no justificase específicamente la utilización sucesiva de contratos de trabajo de duración determinada por la existencia de factores objetivos derivados de las particularidades de la actividad de que se trate y de las condiciones en que ésta se desarrolla, entrañaría un riesgo real de suscitar una utilización abusiva de este tipo de contratos, por lo que no sería compatible ni con el objetivo ni con el efecto útil del Acuerdo marco.

---

[128]  Por todas, las SSTJCE de 4 de julio de 2006 (Asunto C-212/04), y 23 de abril de 2009 (Asuntos C-378/07 a C-380/07).

[129]  SSTJCE de 4 de julio de 2006 (Asunto C-212/04), y 23 de abril de 2009 (Asuntos C-378/07 a C-380/07).

De conformidad con esta doctrina general, la renovación de sucesivos contratos de trabajo de duración determinada puede estar justificada en los siguientes supuestos:

1.º) Para atender fundamentalmente necesidades temporales, coyunturales o extraordinarias, esto es, «necesidades especiales» que guarden «conexión con las características, la naturaleza o a la actividad de la empresa», «necesidades adicionales» relacionadas con la prestación de «servicios de carácter social», obras que no formen parte «de las funciones habituales de los empleados» o «necesidades estacionales u otras necesidades periódicas o temporales»[130].

2.º) Para sustituir a trabajadores que se encuentran en situación de baja por enfermedad, de permiso de maternidad o de permiso parental, de reducción de jornada por conciliación de la vida familiar y laboral u otras circunstancias similares[131].

3.º) Para contratar personal a la espera de que se creen puestos estructurales. La idea se ha admitido en segmentos de actividad en los que los poderes públicos deben organizar servicios esenciales, como educación[132] o sanidad[133], en los que se requieren particulares necesidades de flexibilidad organizativa.

4.º) Para cubrir temporalmente un puesto de trabajo durante el proceso de selección o de promoción para su cobertura definitiva[134]. Efectivamente, cuando un Estado miembro reserva el acceso a las plazas permanentes en las Administraciones públicas al personal que haya superado un proceso selectivo, también puede estar objetivamente justificado que, mientras se está a la espera de que terminen los procesos

---

[130] STJCE de 23 de abril de 2009 (Asuntos C-378/07 a C-380/07), y STJUE 13 de marzo de 2014 (Asunto C-190/13).

[131] SSTJUE de 26 de noviembre de 2014 (Asuntos C-61/2013, C-63/2013 y C-418/2013), y 19 de marzo de 2020 (Asuntos C-103/18 y C-429/18).

[132] SSTJUE de 26 de noviembre de 2014 (Asuntos C-61/2013, C-63/2013 y C-418/2013), y 14 de septiembre de 2016 (Asunto C-16/15).

[133] STJUE de 19 de marzo de 2020 (Asuntos C-103/18 y C-429/18).

[134] STJCE de 26 de noviembre de 2014 (Asuntos C-61/2013, C-63/2013 y C-418/2013).

selectivos, las plazas vacantes se cubran a través de sucesivos contratos de trabajo de duración determinada.

En cambio, no puede admitirse que los contratos o nombramientos de duración determinada puedan renovarse para desempeñar necesidades que, de hecho, no tienen carácter provisional, sino permanente y estable. Y ello con independencia de que las disposiciones de derecho interno puedan servir de fundamento para ello[135]. En este sentido, este aspecto de la cláusula 5 del Acuerdo Marco debe interpretarse en el sentido de que «*se opone a una normativa y a una jurisprudencia nacionales en virtud de las cuales la renovación sucesiva de relaciones de servicio de duración determinada se considera justificada por «razones objetivas», con arreglo al apartado 1, letra a), de dicha cláusula, por el mero motivo de que tal renovación responde a las causas de nombramiento previstas en esa normativa, es decir, razones de necesidad, de urgencia o para el desarrollo de programas de carácter temporal, coyuntural o extraordinario, en la medida en que dicha normativa y jurisprudencia nacionales no impiden que el empleador de que se trate dé respuesta, en la práctica, mediante esas renovaciones, a necesidades permanentes y estables en materia de personal*»[136].

No basta, pues, que exista un fundamento normativo. Es preciso un análisis concreto por parte de todas las autoridades del Estado miembro que permita comprobar «*concretamente que la normativa nacional que permite la renovación, en el sector público, de los contratos o relaciones laborales de duración determinada sucesivos destinados a atender necesidades provisionales no se utilice, de hecho, para atender necesidades permanentes y duraderas*»[137]. Por ello, los Tribunales nacionales han de examinar en cada caso todas las circunstancias del asunto, tomando en consideración, en particular, el número de dichos contratos sucesivos celebrados con la misma persona o para realizar un mismo trabajo, con objeto de excluir que contratos o relaciones laborales de duración determinada, aunque se concluyan en apariencia para atender a una necesidad de sustitución de personal, sean utilizados de manera abusiva por los empleadores.

---

[135]     STJCE de 23 de abril de 2009 (Asuntos C-378/07 a C-380/07).
[136]     STJUE de 19 de marzo de 2020 (Asuntos C-103/18 y C 429/18).
[137]     STJCE de 23 de abril de 2009 (Asuntos C-378/07 a C-380/07).

Esta doctrina se ha proyectado, por lo que aquí interesa, tanto en los casos en los que la renovación de contratos o nombramientos temporales se fundamenta en la necesidad de personal a la espera de que se creen puestos estructurales como en aquellos en los que se relacionan con la celebración de los correspondientes procesos selectivos. En el primer caso, las STJUE de 14 de septiembre de 2016 (Asunto C-16/15), y más recientemente, de 19 de marzo de 2020 (Asuntos C-103/18 y C 429/18), imponen verificar la existencia de específicas obligaciones de creación de los puestos estructurales que permitan poner fin al nombramiento de personal estatutario temporal eventual. En el segundo, se ha hecho hincapié en la necesidad de que existan criterios objetivos y transparentes con objeto de comprobar si la renovación de esos contratos responde efectivamente a una necesidad real y puede lograr el objetivo pretendido y necesario a tal efecto —en particular, plazos concretos en lo referente a la organización y conclusión de los procesos selectivos que no los haga depender de las posibilidades financieras del Estado y de la apreciación discrecional de la Administración—[138].

En definitiva, pues, la existencia de una «razón objetiva» en el sentido de la cláusula 5, punto 1, letra a), del Acuerdo marco excluye en principio la existencia de un abuso, salvo si un examen global de las circunstancias que rodean la renovación de los contratos o las relaciones laborales de duración determinada en cuestión revela que las prestaciones requeridas del trabajador no corresponden a una mera necesidad temporal. Y dicho examen es si cabe más importante si la normativa nacional no prevé ninguna medida que limite la duración total máxima o el número de renovaciones de estos contratos, en el sentido del punto 1, letras b) y c), de dicha cláusula.

### 3.1.2. Límites a la duración máxima total y/o al número de renovaciones

Los Estados miembros también pueden adoptar una de las medidas o las dos contempladas en el apartado 1, letras b) y c), de la cláusula 5

---

[138] STJUE de 26 de noviembre de 2014 (Asuntos C-61/2013, C-63/2013 y C-418/2013).

del Acuerdo marco, que se refieren, respectivamente, a la duración máxima total de los sucesivos contratos de trabajo o relaciones laborales de duración determinada y al número de renovaciones de tales contratos o relaciones laborales.

El apartado 2 de dicha cláusula encomienda en principio a los Estados miembros la misión de determinar en qué condiciones los contratos o relaciones laborales de duración determinada se considerarán «sucesivos», por una parte, y «celebrados por tiempo indefinido», por otra. Aunque esta decisión de remitir a las autoridades nacionales la determinación de las modalidades concretas de aplicación de los términos *«sucesivos»* y *«por tiempo indefinido»*, a efectos del Acuerdo marco, se explica por el afán de preservar la diversidad de las normativas nacionales en esta materia, el margen de apreciación así atribuido a los Estados miembros no es ilimitado, ya que en ningún caso puede llegar hasta el punto de poner en peligro el objetivo o el efecto útil del Acuerdo marco[139].

En este contexto, existe una nutrida doctrina del Tribunal de Justicia de la Unión Europea sobre los criterios empleados por los estados miembros para excluir el carácter sucesivo de dos contrataciones temporales. Se ha considerado, de un lado, que una disposición nacional que únicamente considera sucesivos los contratos de trabajo de duración determinada separados por un intervalo máximo de veinte días laborables puede comprometer el objeto, la finalidad y el efecto útil del Acuerdo marco[140]. En cambio, el Tribunal de Justicia también ha declarado que la normativa que sólo reconoce que tienen carácter «sucesivo» los contratos de trabajo de duración determinada separados por períodos de menos de tres meses, no es, como tal, tan rígida y de naturaleza tan restrictiva, sin perjuicio del necesario examen de las circunstancias de cada caso por el juez nacional[141]. Esta misma conclusión se ha mantenido

---

[139]    SSTJCE de 4 de julio de 2006 (Asuntos C-212/04, y 23 de abril de 2009, C-378/07 a C-380/07).

[140]    STJCE de 4 de julio de 2006 (Asunto C-212/04)

[141]    STJCE 23 de abril de 2009 (Asuntos C-378/07 a C-380/07).

para los contratos de trabajo de duración determinada separados por un intervalo de tiempo no superior a 60 días[142].

### 3.1.3. Otras medidas equivalentes

Por lo que se refiere, en fin, a las medidas legales equivalentes a las que alude la cláusula 5.1, integran un concepto de Derecho comunitario, que debe ser objeto de una interpretación uniforme en todos los Estados miembros[143]. A falta de expresa definición, el Tribunal de Justicia ha partido de una interpretación finalista, que atienda al objetivo del Acuerdo relacionado con la limitación de la utilización sucesiva de contratos o relaciones de trabajo de duración determinada. Por consiguiente, con la expresión «*medidas legales equivalentes*», la cláusula 5, apartado 1, del Acuerdo marco se refiere a cualquier medida de Derecho interno que, al igual que las medidas indicadas en dicha cláusula, tenga por objeto prevenir con efectividad la utilización abusiva de contratos de trabajo de duración determinada sucesivos.

Por lo demás, de acuerdo con el Tribunal de Justicia, «*incumbe al órgano jurisdiccional nacional apreciar, con arreglo al conjunto de normas de su Derecho nacional aplicables, si la organización de procesos selectivos destinados a proveer definitivamente las plazas ocupadas con carácter provisional por empleados públicos nombrados en el marco de relaciones de servicio de duración determinada, la transformación de dichos empleados públicos en «indefinidos no fijos» y la concesión a estos empleados públicos de una indemnización equivalente a la abonada en caso de despido improcedente constituyen medidas adecuadas para prevenir y, en su caso, sancionar los abusos derivados de la utilización de sucesivos contratos o relaciones laborales de duración determinada o medidas legales equivalentes, a efectos de esa disposición*»[144]. Volveremos luego sobre estas cuestiones.

---

[142]    STJUE de 3 de julio de 2014 (Asuntos C-362/13, C-363/13 y C-407/13).
[143]    STJCE de 23 de abril de 2009 (Asuntos C-378/07 a C-380/07).
[144]    STJCE de 23 de abril de 2009 (Asuntos C-378/07 a C-380/07).

### 3.1.4. *La posibilidad de aplicar las reglas europeas a vinculaciones temporales formalmente unitarias*

Una cuestión de cierto interés se plantea en los casos en que existen relaciones temporales formalmente unitarias, sin que se hayan producido contrataciones o nombramientos sucesivos. ¿Son aplicables en estos casos las reglas del Acuerdo marco?

En principio la literalidad de la cláusula 5.1 del Acuerdo marco no se aplica a la celebración de un único contrato o relación laboral de duración determinada[145]. El precepto únicamente se refiere, en efecto, a la prevención de los abusos como consecuencia de la utilización sucesiva de contratos o relaciones laborales de duración determinada. Debe tenerse en cuenta, sin embargo, la doctrina sentada en STJUE de 19 de marzo de 2020 (Asuntos C-103/18 y C-429/18).

El órgano judicial nacional proponente de la cuestión prejudicial (SJS cont. Madrid-8) planteaba que, aun existiendo un único nombramiento como personal estatutario interino, el empleador había incumplido las obligaciones, derivadas de los arts. 10 y 70 del EBEP, de incluir la plaza en la oferta de empleo público correspondiente al año en el que se produjo su nombramiento o al año siguiente o, en cualquier caso, a más tardar en los tres años siguientes a dicha fecha, de manera que se había ocupado provisionalmente la plaza durante 17 años. En opinión del juzgado remitente, de ello resulta que puede considerarse que la relación de servicio del Sr. S.R. ha sido prorrogada implícitamente de año en año, aun cuando tenga la apariencia formal de una única relación de servicio.

Pues bien, a juicio del Tribunal de Justicia de la Unión Europea, considerar que no existen sucesivas relaciones laborales de duración determinada, en el sentido de la cláusula 5 del Acuerdo Marco, por la única razón de que el empleado afectado, aun cuando haya sido objeto de varios nombramientos, ha ocupado de manera ininterrumpida el mismo puesto de trabajo durante varios años y ha ejercido, de manera cons-

---

[145]     Por todas, la STJUE de 3 de julio de 2014 (Asuntos C-362/13, C-363/13 y C-407/13).

tante y continuada, las mismas funciones, ignorando que ello se debe al incumplimiento por parte del empleador de su obligación legal de organizar en el plazo previsto un proceso selectivo al objeto de cubrir definitivamente esa plaza vacante, puede comprometer el objeto, la finalidad y el efecto útil del mencionado Acuerdo. En efecto, una definición tan restrictiva del concepto de «*sucesivas relaciones laborales de duración determinada*» permitiría emplear a trabajadores de forma precaria durante años. Además, esta misma definición restrictiva podría tener por efecto no solo excluir, en la práctica, un gran número de relaciones laborales de duración determinada de la protección de los trabajadores perseguida por la Directiva 1999/70 y el Acuerdo Marco, vaciando de gran parte de su contenido el objetivo perseguido por estos, sino también permitir la utilización abusiva de tales relaciones por parte de los empresarios para satisfacer necesidades permanentes y estables en materia de personal. El Tribunal de Justica concluye en este sentido que «*la cláusula 5 del Acuerdo Marco debe interpretarse en el sentido de que los Estados miembros o los interlocutores sociales no pueden excluir del concepto de «sucesivos contratos o relaciones laborales de duración determinada», a efectos de dicha disposición, una situación en la que un empleado público nombrado sobre la base de una relación de servicio de duración determinada, a saber, hasta que la plaza vacante para la que ha sido nombrado sea provista de forma definitiva, ha ocupado, en el marco de varios nombramientos, el mismo puesto de trabajo de modo ininterrumpido durante varios años y ha desempeñado de forma constante y continuada las mismas funciones, cuando el mantenimiento de modo permanente de dicho empleado público en esa plaza vacante se debe al incumplimiento por parte del empleador de su obligación legal de organizar en el plazo previsto un proceso selectivo al objeto de proveer definitivamente la mencionada plaza vacante y su relación de servicio haya sido prorrogada implícitamente de año en año por este motivo*».

## 3.2. Medidas para sancionar los abusos

El Derecho de la Unión no establece sanciones específicas para el caso de que se compruebe la existencia de abusos ni, en particular, impone a los Estados miembros una obligación general de transformar en contratos por tiempo indefinido los contratos de trabajo de duración determinada[146]. De este modo, corresponde a las autoridades nacionales adoptar medidas que no sólo deben ser proporcionadas, sino también lo bastante efectivas y disuasorias como para garantizar la plena eficacia de las normas adoptadas en aplicación del Acuerdo marco[147].

A falta de normativa de la Unión en la materia, las modalidades de aplicación de tales normas, que deben ser determinadas por el ordenamiento jurídico interno de los Estados miembros en virtud del principio de autonomía de procedimiento de éstos, no deben sin embargo ser menos favorables que las aplicables a situaciones similares de carácter interno (principio de equivalencia) ni hacer imposible en la práctica o excesivamente difícil el ejercicio de los derechos conferidos por el ordenamiento jurídico de la Unión (principio de efectividad)[148]. De ello se desprende que, cuando se ha producido una utilización abusiva de sucesivos contratos de trabajo o relaciones laborales de duración determinada, es indispensable poder aplicar alguna medida que presente garantías de protección de los trabajadores efectivas y equivalentes, con objeto de sancionar debidamente dicho abuso y eliminar las consecuencias de la infracción del Derecho de la Unión[149]. En efecto, según los propios términos del artículo 2, párrafo primero, de la Directiva 1999/70, los Estados miembros deben «[adoptar] *todas las disposiciones necesarias para poder garantizar en todo momento los resultados fijados por* [dicha] *Directiva*».

En este sentido, es necesario recordar que no corresponde al Tribunal de Justicia pronunciarse sobre la interpretación del Derecho interno, ya que esta tarea incumbe a los tribunales nacionales competentes, que deben determinar si lo dispuesto en la normativa nacional aplicable cumple las exigencias establecidas en la cláusula 5 del Acuerdo marco. En particular, incumbe a los órganos jurisdiccionales españoles apreciar, con arreglo al conjunto de normas de su Derecho nacional aplicables,

---

146   STJCE de 4 de julio de 2006 (Asunto C-212/04) y STJUE 14 de septiembre de 2016 (Asuntos C-184/15 y C-197/15).
147   STJCE de 4 de julio de 2006 (Asunto C-212/04).
148   STJUE de 14 de septiembre de 2016 (Asuntos C-184/15 y C-197/15).
149   STJCE de 4 de julio de 2006 (Asunto C-212/04) y STJUE de 19 de marzo de 2020 (Asuntos C-103/18 y C-429/18).

si la organización de procesos selectivos destinados a proveer definitivamente las plazas ocupadas con carácter provisional por empleados públicos nombrados en el marco de relaciones de servicio de duración determinada, la transformación de dichos empleados públicos en «indefinidos no fijos» y la concesión a estos empleados públicos de una indemnización equivalente a la abonada en caso de despido improcedente constituyen medidas adecuadas para prevenir y, en su caso, sancionar los abusos derivados de la utilización de sucesivos contratos o relaciones laborales de duración determinada o medidas legales equivalentes, a efectos de esa disposición[150].

En definitiva, corresponde al órgano jurisdiccional remitente apreciar en qué medida los requisitos de aplicación y la ejecución efectiva de las disposiciones pertinentes del Derecho interno constituyen una medida apropiada para prevenir y, en su caso, sancionar la utilización abusiva de sucesivos contratos o relaciones laborales de duración determinada. A este respecto, incumbe al tribunal remitente, en particular, cerciorarse de que, con la esperanza de seguir empleados en el futuro en el sector público, los trabajadores con los que se hayan celebrado de manera abusiva contratos laborales de duración determinada no se vean disuadidos de hacer valer ante las autoridades nacionales, incluidas las jurisdiccionales, los derechos que les reconoce la normativa nacional y que se desprende de la aplicación por ésta de todas las medidas preventivas establecidas en la cláusula 5, apartado 1, del Acuerdo marco[151]. Además, el tribunal remitente debe cerciorarse de que todos los trabajadores con contratos «de duración determinada» en el sentido de la cláusula 3, apartado 1, del Acuerdo marco, puedan conseguir que se apliquen a su empleador las sanciones previstas por el ordenamiento jurídico nacional cuando han sufrido abusos a consecuencia de la utilización de sucesivos contratos y ello, independientemente de la calificación de su contrato en Derecho interno[152].

---

[150]   STJUE de 19 de marzo de 2020 (Asuntos C-103/18 y C-429/18).
[151]   STJUE de 14 de septiembre de 2016 (Asuntos C-184/15 y C-197/15).
[152]   STJCE de 23 de abril de 2009 (Asuntos C-378/07 a C-380/07).

Por otro lado, el TJUE ha entendido que la cláusula 5 del Acuerdo marco no se opone, como tal, a que la utilización abusiva de sucesivos contratos o relaciones laborales de duración determinada corra suertes diferentes en un Estado miembro según estos contratos o relaciones hayan sido celebrados con un empleador del sector privado o del sector público o, incluso, en función de la categoría laboral o administrativa en que esté incluido el empleado público afectado[153]. No obstante, para que una normativa nacional que prohíbe de forma absoluta, en el sector público, transformar en un contrato de trabajo por tiempo indefinido una sucesión de contratos de trabajo de duración determinada pueda ser considerada conforme con el Acuerdo marco, el ordenamiento jurídico interno del Estado miembro de que se trate debe contar, en dicho sector, con otra medida efectiva para evitar y, en su caso, sancionar la utilización abusiva de sucesivos contratos de trabajo de duración determinada[154]. Si el ordenamiento jurídico interno del Estado miembro de que se trata no contiene, en el sector considerado (ya sea el sector público o el sector funcionarial), ninguna medida efectiva para evitar y sancionar, en su caso, la utilización abusiva de contratos de duración determinada sucesivos, el Acuerdo marco impide aplicar una normativa nacional que, sólo en el sector público o, en su caso, en el sector funcionarial, prohíbe absolutamente transformar en contrato de trabajo por tiempo indefinido una sucesión de contratos de duración determinada que han tenido por objeto, de hecho, hacer frente a «necesidades permanentes y duraderas» del empleador y deben considerarse abusivos. En el supuesto de adaptación tardía del ordenamiento jurídico del Estado miembro de que se trate a una directiva cuyas disposiciones pertinentes carecen de efecto directo, los órganos jurisdiccionales nacionales están obligados, a partir de la expiración del plazo de adaptación del Derecho interno a la directiva, a interpretar su Derecho interno en la medida de lo posible a la luz de la letra y de la finalidad de la directiva de que se trate con objeto de alcanzar los resultados que ésta persigue, dando prioridad a la interpretación de las normas nacionales que mejor se ajuste a dicha

---

153   STJUE de 14 de septiembre de 2016 (Asuntos C-184/15 y C-197/15).
154   STJCE de 23 de abril de 2009 (Asuntos C-378/07 a C-380/07).

finalidad, para llegar así a una solución compatible con las disposiciones de dicha directiva[155].

El auto del Tribunal de Justicia de 30 de septiembre de 2020 (C-135/20) ha reiterado esta doctrina recientemente. Con cita de otras muchas resoluciones —que permiten entender que estamos ante doctrina consolidada hasta el punto de que es posible contestar la cuestión prejudicial mediante auto— ha insistido en que «*el artículo 5 del acuerdo marco … debe interpretarse en el sentido de que se opone a la legislación de un Estado miembro que prohíbe absolutamente, en el sector público, la conversión de una sucesión de contratos de trabajo temporales en un contrato indefinido, siempre que esta normativa no prevea, para ese sector, otra medida eficaz para evitar y, en su caso, sancionar la celebración abusiva de sucesivos contratos de duración determinada*».

# II. LA NORMATIVA ESPAÑOLA: INSUFICIENCIAS

Vistas las exigencias europeas, se hace preciso analizar la adecuación de las previsiones de la normativa española para dar efectivo cumplimiento a las finalidades perseguidas por la Directiva. A estos efectos, debemos considerar, de un lado, el personal laboral temporal de las Administraciones Públicas, y, de otro, el personal funcionarial con nombramientos de duración determinada. Para terminar, se hace precisa una reflexión de conjunto que contraste estas previsiones y sus efectos reales con los mandatos de la Directiva.

## 1. *El personal laboral de las Administraciones Públicas*

### 1.1. Medidas para prevenir los abusos

La aplicación de las normas laborales muestra una situación relativamente satisfactoria desde la perspectiva que aquí interesa, si bien es posible detectar algunas situaciones poco claras. En el primer senti-

---

[155] STJCE de 4 de julio de 2006 (Asunto C-212/04).

do, cabe tener en cuenta que la normativa laboral fija las circunstancias precisas y concretas en las que pueden celebrarse sucesivos contratos o relaciones de trabajo de duración determinada en el sector público. En efecto, en virtud de dicha normativa, está permitido utilizar tales contratos, en determinados casos, para la realización de una obra o servicio determinado, para atender «las circunstancias del mercado, acumulación de tareas o exceso de pedidos», para sustituir a trabajadores con derecho a reserva del puesto de trabajo o para cubrir temporalmente un puesto de trabajo durante el proceso de selección o promoción para su cobertura definitiva. La remisión a la normativa laboral común hace, en efecto, que causas y duraciones de las vinculaciones laborales temporales están correctamente delimitadas. Supone, asimismo, la aplicación de las específicas sanciones establecidas en ella cuando su utilización puede reputarse abusiva.

Con todo, es posible detectar algunas desviaciones de esta idea general. Determinadas reglas legales y/o su aplicación jurisprudencial hacen aparecer supuestos en los que es discutible que la situación de los contratados temporales se ajuste a las exigencias de la Directiva. Por otro lado, no es seguro que los efectos que se aparejan a los casos en los que se detecta extralimitación en el uso de los contratos temporales sean conformes a aquellas.

### 1.1.1. El contrato de interinidad por vacante

Ciertamente, los problemas se plantean en relación con los contratos de interinidad por vacante por la confluencia de dos factores. Por un lado, porque los contratos de interinidad pueden concertarse estando vacantes los puestos de trabajo, aunque no estén convocados los correspondientes procesos de selección, de promoción interna o de provisión de puestos de trabajo. Por otro lado, porque el legislador sigue sin fijar un plazo concreto en lo referente a la organización y/o conclusión de dichos procesos, de modo que no existe un límite legal a la duración de estos contratos.

### 1.1.2. Los matices en la aplicación de las reglas de encadenamiento de contratos temporales con un mismo trabajador

El art. 15.5 del ET determina que «*sin perjuicio de lo dispuesto en los apartados 1.a), 2 y 3, los trabajadores que en un periodo de treinta meses hubieran estado contratados durante un plazo superior a veinticuatro meses, con o sin solución de continuidad, para el mismo o diferente puesto de trabajo con la misma empresa o grupo de empresas, mediante dos o más contratos temporales, sea directamente o a través de su puesta a disposición por empresas de trabajo temporal, con las mismas o diferentes modalidades contractuales de duración determinada, adquirirán la condición de trabajadores fijos*». Esta limitación proviene del Real Decreto-Ley 5/2006, de 9 de junio, habiendo sido objeto de diferentes modificaciones desde entonces.

No entraremos en detalles sobre el alcance de este precepto —cuya vinculación con las finalidades perseguidas por las normas europeas es evidente—. Pero conviene destacar sus claras insuficiencias en relación con la contratación temporal en el ámbito de las Administraciones Públicas. En concreto, hemos de hacer referencia a las siguientes:

1.ª) Se precisan dos o más contratos temporales de las mismas o diferentes modalidades contractuales de duración determinada con exclusión, entre otros, de los de interinidad en ninguna de sus modalidades —sobre los que hemos reflexionado en el apartado anterior—[156].

---

[156]  SSTSJ de Andalucía de 23 de noviembre de 2017 (Rec. 3696/2016) y de Castilla y León 12 de julio de 2018 (Rec. 1004/2018). Lo dispuesto en dicho art. 15.5 del ET tampoco «será de aplicación respecto de las modalidades particulares de contrato de trabajo contempladas en la Ley Orgánica 6/2001, de 21 de diciembre, de Universidades o en cualesquiera otras normas con rango de ley» (DA 15.ª ET), lo que impedirá que la reiteración de estos contratos especiales con una misma persona, lo que es muy frecuente, sobre todo en el ámbito de la docencia, conduzca a la aplicación de los efectos del encadenamiento contractual [Cfr. la STS de 1 de junio de 2017 (Recud. 2890/2015)]. En cambio, como señala la STS de 19 de julio de 2010 (Recud. 3655/2009), no será «admisible argumentar —como el recurso hace— que se trataba de «contratos temporales para proyectos subvencionados concretos y diferentes», pues esta cualidad —que no negamos— ninguna trascendencia tiene sobre la eficacia de la norma, que para nada excepciona tales supuestos de la regla que consagra y que obedece a la obligada incorporación —a nuestro ordenamiento interno— de la Directiva 1999/70 [29/Junio], relativa al Acuerdo marco sobre

2.ª) Aunque las contrataciones pueden referirse al mismo o distinto puesto de trabajo en la misma empresa o grupo de empresas, la DA 15.ª.3 del ET establece que para la aplicación del límite al encadenamiento de contratos previsto en el art. 15.5 del ET, «*solo se tendrán en cuenta los contratos celebrados en el ámbito de cada una de las Administraciones Públicas sin que formen parte de ellas, a estos efectos, los organismos públicos, agencias y demás entidades de derecho público con personalidad jurídica propia vinculadas o dependientes de las mismas*». El sentido de la regla parece ser excluir la posibilidad de que las Administraciones Públicas y sus organismos públicos (organismos autónomos y entidades públicas empresariales) o los organismos públicos perteneciente al mismo nivel de organización territorial puedan considerarse como un «grupo de empresas» a estos efectos a diferencia de lo que ocurre en el ámbito privado. Además, como las Administraciones Públicas y los organismos públicos son configurados como unidades de referencia para la aplicación del límite al encadenamiento de contratos temporales con un mismo trabajador, tampoco se podrán considerar los contratos temporales que este haya celebrado con las entidades instrumentales que tengan una forma de personificación jurídico-privada (sociedades mercantiles y fundaciones públicas)[157].

3.ª) En fin, si se cumplen los requisitos temporales establecidos en el art. 15.5 del ET, los afectados «*adquirirán la condición de trabajadores fijos*» (art. 15.5 ET). Pero si se trata de Administraciones Públicas, pasan legalmente a ser considerados indefinidos no fijos de la Administración Pública en la que está efectivamente prestando servicios (DA 15.ª.1 ET).

---

el trabajo de duración determinada; y que —por supuesto— tampoco nada excepcionaba al respecto» y «donde la ley no distingue tampoco debe distinguir el intérprete, máxime cuando se trata de restringir derechos que la misma establece».

[157]     En cambio, como la DA 15.ª.3 del ET no alude a estas entidades instrumentales, los grupos constituidos por sociedades mercantiles públicas y/o fundaciones del sector público se rigen por la regla general del art. 15.5 del ET.

## 1.2. Medidas para sancionar los abusos

### 1.2.1. La transformación de los empleados públicos con un contrato de duración determinada en «indefinidos no fijos»

En los casos de irregularidades o fraude en el uso de los contratos temporales y, como se acaba de ver, si se supera el límite al encadenamiento de contratos temporales con un mismo trabajador, el trabajador afectado se convierte en indefinido no fijo[158]. Ahora bien, es dudoso que esta conversión pueda considerarse verdaderamente una medida suficiente para sancionar los abusos en la contratación temporal en los términos de la Directiva.

Son varias las razones que apuntan en este sentido:

1.ª) De entrada, solo en fecha reciente se han establecido facilidades normativas en relación con la convocatoria de los puestos ocupados por este tipo de trabajadores. En este sentido, la transformación de los contratos temporales en indefinidos no computa a los efectos de la tasa de reposición. En este sentido, el art. 19.Uno.6 de la LPGE para el año 2021 establece que no computarán dentro del límite máximo de plazas derivado de la tasa de reposición de efectivos las plazas «*correspondientes al personal declarado indefinido no fijo mediante sentencia judicial*». Sin embargo, no existe un tope concreto de duración para el cumplimiento de los trámites necesarios para la cobertura reglamentaria de las plazas ocupadas por los trabajadores indefinidos no fijos. Solo a partir del momento en el que se ha procedido a incluir las plazas en la oferta de empleo público hay obligación de convocarlas en el plazo de tres años que marca el art. 70.1 del EBEP. Ello permite que las Administraciones Públicas mantengan la situación de los trabajadores indefinidos no fijos durante años, sin proceder nunca a regularizarla.

Por otro lado, hay que considerar que las plazas que ocupa el personal indefinido no fijo también pueden ser cubiertas por los procedimientos

---

[158] Por todos, ROQUETA BUJ, R., «Los trabajadores fijos indefinidos: estabilidad en el empleo versus igualdad, mérito y capacidad en el acceso al empleo público», *RTSS, CEF*, núm. 442, 2020.

internos o cerrados de acceso o de provisión (promoción interna, concurso de traslados, etc.), lo que faculta a la Administración empleadora a cesar al indefinido no fijo para colocar en su puesto al trabajador fijo que haya superado dichos procedimientos.

2.ª) Por otro lado, es cierto que la jurisprudencia ha caminado en la línea de asegurar a los indefinidos no fijos las mismas condiciones laborales que al personal laboral fijo. Por ejemplo, según la STC 71/2016, de 14 de abril y la STS de 21 de julio de 2016 (Rec. 134/2015, durante la vigencia del vínculo, el trabajador indefinido no fijo *«no puede ver mermado ningún derecho laboral o sindical por el mero hecho de ostentar dicha condición»*.

Ello no obstante, se encuentran importantes aspectos en los que se acepta la existencia de singularidades importantes. En este sentido, la reconstrucción jurisprudencial dominante sostiene que existe una vinculación evidente entre el contrato indefinido no fijo y la plaza desempeñada. Ello ha permitido excluir que el personal indefinido pueda acceder a la excedencia voluntaria especial por incompatibilidad[159] o participar en los procesos de provisión de los puestos de trabajo o en concursos de traslados, no siéndoles de aplicación los arts. 83, 73 y 81 del EBEP. Igualmente, se les cierra la posibilidad de participar en los procesos de promoción interna[160] o de funcionarización *ex* DT 2.ª del EBEP[161], a los que solo puede acceder el personal laboral fijo.

Es verdad que la jurisprudencia más reciente parece ir rectificando algunas de estas limitaciones en relación con procesos de provisión de puestos de trabajo[162]. Mas esta evolución interpretativa, que no deja de estar exenta de polémica como muestra la presencia de votos particulares, parece más bien asociarse a la forma en la que se articulan en concreto los correspondientes procesos de provisión de puestos que a una revisión general de la noción de personal indefinido.

---

[159]  SSTS de 29 de noviembre de 2005 (Rec. 3796/2004) y 3 de mayo de 2006 (Rec. 1819/2005).

[160]  Cfr. la STS de 2 de abril de 2018 (Rec. 27/2017).

[161]  Cfr. la STS de 6 de mayo de 2009 (Rec. 69/2008).

[162]  Cfr. SSTS de 21 de julio de 2016 (Rec. 134/2015) o 2 de abril de 2018 (Rec. 27/2017).

3.ª) Por último, la extinción del contrato por tiempo indefinido no fijo de plantilla presenta especiales causas extintivas, puesto que este personal puede ser lícitamente cesado cuando la plaza que ocupan sea cubierta por el oportuno procedimiento reglado en el que se respeten los principios de publicidad, mérito y capacidad o sea amortizada por el cauce reglamentario.

En origen, estas específicas causas extintivas eran, además, sumamente favorables a los intereses de las Administraciones empleadoras al no estar sujetas a reglas procedimentales ni suponer el pago de compensaciones relacionadas con la pérdida del puesto de trabajo. Con posterioridad, la interpretación ha evolucionado, de un lado, en el sentido de que, al menos en el caso de amortización de las plazas, resultan de aplicación las reglas de los despidos objetivos o colectivos, según el número de trabajadores afectados, y la indemnización de 20 días de salario por año de servicio con el tope de doce mensualidades establecida en esos preceptos[163]; y, de otro, en el de que cuando la extinción se relaciona con la cobertura reglamentaria de la plaza es preciso satisfacer la indemnización de 20 días de salario por año de servicio con el tope de doce mensualidades[164].

---

[163]  Por todas, las SSTS de 24 de junio de 2014 (Rec. 217/2013), 7 de julio de 2014 (Recuds. 1844/2013 y 2285/2013), 8 de julio de 2014 (Recud. 2693/2013), 14 de julio de 2014 (Recuds. 1847/2013, 2680/2013, 2052/2013 y 2057/2013), 15 de julio de 2014 (Recuds. 2065/2013, 1833/2013, 2047/2013 y 1801/2013), 17 de julio de 2014 (Recud. 1873/2013), 16 de septiembre de 2014 (Recud. 1880/2013), 13 de octubre de 2014 (Recud. 2745/2013), 29 de octubre de 2014 (Recud. 1765/2013), 18 de noviembre de 2014 (Recud. 2167/2013), 11 de febrero de 2015 (Recud. 840/2014), 5 de abril de 2016 (Recud. 1874/2014), 30 de marzo de 2017 (Recud. 961/2015), 15 de noviembre de 2017 (Recud. 440/2015) y 14 de febrero de 2018 (Recud. 513/2015). En este sentido, se puede traer a colación la STS de 20 de junio de 2017 (Rec. 253/2015) que declara ajustado a derecho el despido colectivo en la Universidad Politécnica de Madrid por concurrir causas organizativas dada la nueva relación de puestos de trabajo (RPT) que supuso la amortización de 156 vacantes, ocupadas por interinos, debido el déficit presupuestario existente, siendo la modificación de la RPT validada por la jurisdicción contencioso-administrativa.

[164]  Cfr. las SSTS de 28 de marzo de 2017 (Recud. 1664/2015), 9 de mayo de 2017 (Recud. 1806/2015), 12 de mayo de 2017 (Recud. 1717/2015), 19 de julio de 2017 (Recud. 4041/2015), 22 de febrero de 2018 (Recud. 68/2016) y 12 de mayo de

Y, así, lo viene a reconocer el apartado 5 de la nueva DA 17.ª del EBEP, añadida por el art. 1.3 del RD-l 14/2021, a cuyo tenor:

> «En el caso del personal laboral temporal, el incumplimiento de los plazos máximos de permanencia dará derecho a percibir la compensación económica prevista en este apartado, sin perjuicio de la indemnización que pudiera corresponder por vulneración de la normativa laboral específica.
>
> Dicha compensación consistirá, en su caso, en la diferencia entre el máximo de veinte días de su salario fijo por año de servicio, con un máximo de doce mensualidades, y la indemnización que le correspondiera percibir por la extinción de su contrato, prorrateándose por meses los períodos de tiempo inferiores a un año. El derecho a esta compensación nacerá a partir de la fecha del cese efectivo, y la cuantía estará referida exclusivamente al contrato del que traiga causa el incumplimiento. En caso de que la citada indemnización fuere reconocida en vía judicial, se procederá a la compensación de cantidades.
>
> No habrá derecho a la compensación descrita en caso de que la finalización de la relación de servicio sea por despido disciplinario declarado procedente o por renuncia voluntaria».

De este modo, el incumplimiento de los plazos máximos de permanencia dará al personal laboral temporal el derecho a percibir una compensación económica de veinte días de su salario fijo por cada año de servicio, con un máximo de doce mensualidades. Dicha indemnización nacerá a partir de la fecha del cese efectivo y la cuantía estará referida exclusivamente al contrato del que traiga causa el incumplimiento. No habrá derecho a la compensación descrita en caso de que la finalización de la relación de servicio sea por despido disciplinario declarado procedente o por renuncia voluntaria del trabajador. No obstante, como el inciso final del primer párrafo del apartado 4 de la DA 17.ª del EBEP deja a salvo «*la indemnización que pudiera corresponder por vulneración de la normativa laboral específica*», la compensación consistirá, en su caso, en la diferencia entre el máximo de veinte días de su salario fijo por año de servicio, con un máximo de doce mensualidades, y la indemnización que corresponda percibir conforme a la legislación laboral por la extin-

---

2020 (Recud. 2019/2018). Y las SSTS de 24 de junio de 2014 (Rec. 217/2013), 7 de julio de 2014 (Recuds. 1844/2013 y 2285/2013), 30 de marzo de 2017 (Recud. 961/2015), 15 de noviembre de 2017 (Recud. 440/2015) y 14 de febrero de 2018 (Recud. 513/2015).

ción del contrato —de 20 días de salario por año de servicio con el tope máximo de 12 mensualidades o de 33 días de salario por año de servicio con el tope máximo de 24 mensualidades, según proceda—. En caso de que la citada indemnización fuere reconocida en vía judicial, se procederá a la compensación de cantidades. En definitiva, no se suman ambas indemnizaciones, sino que se compensan entre sí.

Es verdad que esta evolución implica cierta asimilación de las expectativas de estabilidad en el empleo del personal indefinido a las que corresponden al personal fijo. Pero no es posible sobrevalorarlas habida cuenta del amplísimo margen de maniobra de las Administraciones empleadoras en relación tanto con la existencia y naturaleza del puesto como con la convocatoria y determinación del concreto sistema de provisión.

### 1.2.2. *La responsabilidad de los órganos competentes en materia de personal*

Un último aspecto en el que se podía hallar medidas para prevenir la utilización abusiva de la contratación laboral es la posible exigencia de responsabilidad a los sujetos responsables de las anomalías. Este aspecto se ha incluido en algunas normas autonómicas (por ejemplo, el art. 19.7 de la Ley 4/2021, de 16 de abril, de la Función Pública Valenciana) y estatales. En este sentido, el apartado segundo de la DA 43.ª de la Ley 6/2018 establece que *«los órganos competentes en materia de personal en cada una de las Administraciones Públicas y en las entidades que conforman su Sector Público Instrumental serán responsables del cumplimiento de la citada normativa, y en especial velarán para evitar cualquier tipo de irregularidad en la contratación laboral temporal que pueda dar lugar a la conversión de un contrato temporal en indefinido no fijo»*. Y la nueva DA 17.ª del EBEP, añadida por el art. 1.3 del RD-l 14/2021, prevé un régimen de responsabilidades en caso de incumplimiento de las medidas introducidas en el art. 10 del citado texto legislativo. Así, determina que las Administraciones Públicas serán responsables del cumplimiento de las previsiones contenidas en la presente norma y, en especial, velarán por evitar cualquier tipo de irregularidad en la contratación laboral temporal y en los nombramientos de personal funcionario interino. Asimismo, las

Administraciones Públicas deberán promover, en sus ámbitos respectivos, el desarrollo de criterios de actuación que permitan asegurar el cumplimiento de esta disposición, así como una actuación coordinada de los distintos órganos con competencia en materia de personal. refuerza el contenido de esta reforma normativa, de manera que las actuaciones irregulares en la aplicación del referido precepto darán lugar a la exigencia de responsabilidades que procedan de conformidad con la normativa vigente en cada una de las Administraciones Públicas. Y, en fin, las actuaciones irregulares en la presente materia darán lugar a la exigencia de las responsabilidades que procedan de conformidad con la normativa vigente en cada una de las Administraciones Públicas. El problema es que todos estos preceptos reenvían las responsabilidades por las actuaciones irregulares a la normativa vigente en cada una de las Administraciones Públicas, sin tipificar siquiera la acción como falta de determinada gravedad, por lo que son un brindis al sol[165].

No obstante, el régimen de responsabilidades previsto en el apartado tercero de la nueva DA 17.ª del EBEP incorpora la siguiente novedad: «*todo acto, pacto, acuerdo o disposición reglamentaria, así como las medidas que se adopten en su cumplimiento o desarrollo, cuyo contenido directa o indirectamente suponga el incumplimiento por parte de la Administración de los plazos máximos de permanencia como personal temporal será nulo de pleno derecho*». De este modo, el nombramiento de interinidad o el contrato temporal que supere el plazo máximo legal permitido será nulo, por lo que la Administración podría incurrir en un uso desviado de los recursos públicos de seguir abonando las retribuciones al personal temporal. En estos casos, para evitar el enriquecimiento injusto de la Administración y no perjudicar al empleado de buena fe, habría que tramitar una revisión de oficio, declarar la nulidad del nombramiento o del contrato e indemnizar al empleado por la vía del art. 106.4 de la LPAC. Sin embargo, esta interpretación, que se deriva del tenor literal del tercer apartado de la DA 17.ª del EBEP, se da de bruces, entre otras disposiciones, con los arts. 8.2.c) y 11 del EBEP o DA 15.ª del ET que vienen a refrendar la

---

[165]    FERNÁNDEZ RAMOS, S., «Acceso al empleo público: igualdad e integridad», *Revista General de Derecho Administrativo*, 46, 2017, pág. 10.

categoría del personal laboral indefinido no fijo por irregularidades en la contratación temporal en las Administraciones Públicas. Por ello, cabe interpretar dicha disposición en el sentido de que nos encontramos ante una normativa de orden público que no es negociable y que, además, de incumplirse en ningún caso dará lugar al reconocimiento de la condición de funcionario de carrera o personal laboral fijo, en línea con lo previsto en el nuevo art. 10.2 del EBEP.

## 2. El personal funcionario interino

Problemas parecidos se detectan, por otro lado, en relación con el personal funcionario interino. Y ello tanto por lo que se refiere a la existencia real de medidas preventivas del uso abusivo de relaciones administrativas (2.1) como en relación con las sanciones frente al mismo (2.2)

## 2.1. Medidas para evitar los abusos

Como hemos visto, el ordenamiento jurídico español limita los nombramientos de funcionarios interinos a la satisfacción de necesidades provisionales (art. 10.1 del EBEP):

a) La existencia de plazas vacantes cuando no sea posible su cobertura por funcionarios de carrera, por un máximo de tres años.

b) La sustitución transitoria de los titulares.

c) La ejecución de programas de carácter temporal, que no podrán tener una duración superior a tres años, ampliable hasta doce meses más por las leyes de Función Pública que se dicten en desarrollo de este Estatuto.

d) El exceso o acumulación de tareas por plazo máximo de nueve meses, dentro de un periodo de dieciocho meses.

En términos generales, no parece que pueda objetarse que la sustitución temporal de un funcionario o la cobertura de una vacante constituya una «razón objetiva» en el sentido de la cláusula 5, punto 1, letra a), de ese Acuerdo marco, sobre todo si tenemos en cuenta que, en algunos sectores como educación o sanidad, las Administraciones Públicas disponen de numerosos puestos de trabajo, siendo inevitable que, con frecuencia, sea necesario recurrir a sustituciones. Sin embargo, conforme con la doctrina del TJUE, no puede admitirse que nombramientos de duración determinada puedan renovarse para desempeñar de modo permanente y estable funciones de los servicios públicos incluidas en la actividad normal del personal funcionario de carrera[166]. La observancia de la cláusula 5, punto 1, letra a), del Acuerdo marco requiere que se compruebe concretamente que la renovación de sucesivas relaciones de servicio de duración determinada trata de atender a necesidades provisionales y que una disposición como el art. 10.1 del EBEP no se utiliza, de hecho, para cubrir necesidades permanentes y duraderas de las Administraciones Públicas en materia de personal.

Pues bien, el análisis de los datos sobre el personal funcionario interino en nuestro país ha de conducir a la conclusión de que se utiliza más bien para la cobertura de necesidades permanentes que en función de las «razones objetivas» formalmente recogidas en el art. 10.1 del EBEP. Los datos que se publican semestralmente en el *Boletín Estadístico del Personal al Servicio de las Administraciones Públicas* muestran, de un lado, la existencia de un importante volumen de personal interino en relación con el total del personal funcionario; y, sobre todo, de su persistente aumento a lo largo de las dos últimas décadas.

| | 2002 | 2005* | 2010 | 2015 | 2020 |
|---|---|---|---|---|---|
| **Total** | 2.303.076 | 1.824.022 | 2.698.625 | 2.544.804 | 2.597.712 |
| **F. Carrera** | 1.296.701 | 1.187.334 | 1.618.474 | 1.575.535 | 1.458.453 |
| **Otro personal** | 300.985 | 349.523 | 370.663 | 347.425 | 539.646 |
| **P. Laboral** | 705.380 | 287.165 | 707.491 | 621.844 | 599.613 |
| * Los datos no incluyen la Administración Local. | | | | | |

---

[166]    STJCE de 14 de septiembre de 2016 (Asunto C-16/15).

Los datos del grupo «Otro personal» —formado mayoritariamente por los funcionarios interinos— muestran la persistente presencia de los funcionarios interinos en relación con los de carrera, así como un sostenido crecimiento de sus efectivos. El desglose por Administraciones, por otro lado, mostraría un desigual reparto de los efectivos de este tipo de personal particularmente concentrado en los ámbitos locales (en 2020, el 12,30%) y autonómico (en 2020, el 30,16%). Por supuesto, estos fenómenos tienen como efecto la muy dilatada duración de las vinculaciones como funcionario interino.

En este sentido, el EBEP no entraña ninguna obligación de crear puestos estructurales adicionales para poner fin al nombramiento de personal interino eventual que incumba a la Administración competente. Por el contrario, los puestos estructurales creados pueden ser provistos mediante el nombramiento de personal temporal interino, sin que exista una limitación en cuanto a la duración de los nombramientos de dicho personal ni en cuanto al número de sus renovaciones, de tal modo que, en realidad, la situación de precariedad de los empleados se convierte en permanente. Pues bien, esta normativa puede permitir, infringiendo la cláusula 5, apartado 1, letra a), del Acuerdo marco, la renovación de nombramientos de duración determinada para cubrir necesidades permanentes y estables, mientras que en las Administraciones Públicas existe un déficit estructural de puestos de personal fijo[167].

Es verdad, por otro lado, que, en el supuesto previsto en la letra a) del apartado 1 del art. 10 del EBEP, las plazas vacantes desempeñadas por funcionarios interinos debían incluirse en la oferta de empleo correspondiente al ejercicio en que se producía su nombramiento y, si no era posible, en la siguiente, salvo que se decidiera su amortización (art. 10.4 EBEP). De no ofertarse, bien fuera en régimen de promoción interna o de acceso libre, las plazas que, dotadas presupuestariamente, se encontraban ocupadas por funcionarios interinos, se vulneraba lo dispuesto en el art. 10.4 del EBEP en relación con el art. 23.2 de la Constitución Española, pues no se podían alegar motivos económicos y de autoorganización, ya que las plazas estaban presupuestadas y ocupadas

---

[167]     STJUE de 14 de septiembre de 2016 (Asuntos C-184/15 y C-197/15).

efectivamente[168]. Sin embargo, la obligación de incluir en la Oferta de Empleo Público las vacantes cubiertas por interinos cedía cuando se superaba el límite fijado por la legislación presupuestaria a la reposición de efectivos[169].

En otro orden de cosas, la ejecución de la oferta de empleo público o instrumento similar debía y debe desarrollarse dentro del plazo improrrogable de tres años (art. 70.1 EBEP), que tiene la consideración de esencial[170]. Al determinar la anulabilidad de la convocatoria del proceso selectivo tramitada fuera de plazo (art. 48.3 LPAC)[171], se permite la conservación de los actos y trámites cuyo contenido se hubiera mantenido igual de no haberse cometido tal infracción (art. 51 LPAC). Por consiguiente, si el procedimiento selectivo se desarrolla sin que se atribuya vicio o tacha alguna, en su ejecución, determinante de su invalidez, el funcionario interino que no resulta seleccionado, al no superar las pruebas selectivas correspondientes, no puede pretender la nulidad de todo el proceso y los efectos de su nuevo nombramiento como interino hasta que se realice otra oferta de empleo público que se ejecute correctamente. Únicamente quedaría pues la posibilidad de formular como accesoria a la nulidad del acto administrativo, una pretensión de indemnización de daños y perjuicios.

En fin, aunque el legislador de 2021 limita la duración del nombramiento del personal funcionario interino por vacante a un máximo de tres años, sigue sin establecer plazos concretos para la conclusión de los procesos selectivos que pueden quedar sujetos a específicas secuencias para la cobertura de las vacantes mediante sucesivos nombramientos (promociones profesionales específicas o de concursos de traslado, promociones internas y procesos de selección).

---

[168]  STS (CA) de 29 de octubre de 2010 (Rec. 2210/2007).
[169]  Así lo ha indicado la jurisprudencia [por ejemplo, las SSTS (CA) de 20 de noviembre de 2013 (Rec. 44/2013), 21 de abril de 2017 (Rec. 1688/2016) y 1 de febrero de 2018 (Rec. 2617/2015).
[170]  SSTS (CA) de 10 de diciembre de 2018 (Rec. 129/2016, y 21 de mayo de 2019 (Rec. 209/2016).
[171]  STS (CA) de 12 de diciembre de 2019 (Rec. 3554/2017).

## 2.2. Medidas para sancionar los abusos

En principio, el EBEP no contemplaba ninguna de las medidas exigidas por la Directiva 1999/70 a efectos de prevenir el uso abusivo de la renovación sucesiva de relaciones de servicio de duración determinada en el ámbito de la función pública. Pues bien, según los tribunales españoles, las consecuencias jurídicas concretas derivadas de la situación de abuso apreciada en el caso de los funcionarios interinos determinaba la subsistencia y continuación de la relación de empleo con todos los derechos profesionales y económicos inherentes a ella hasta que los puestos que ocupaban interinamente se cubrieran reglamentariamente mediante procedimientos de selección o provisión o fueran amortizados en debida forma[172]. Esto es, se convertían en una suerte de funcionarios interinos indefinidos.

Por lo demás, el afectado por la utilización abusiva de los nombramientos temporales tenía derecho a una indemnización, si bien el reconocimiento del derecho dependía de las circunstancias singulares del caso, debía ser hecho, si procedía, en el mismo proceso en que se declaraba la existencia de la situación de abuso, y requería que el demandante dedujera tal pretensión, invocase en el momento procesal oportuno qué daños y perjuicios, y por qué concepto o conceptos en concreto, le fueron causados, y acreditase por cualquiera de los medios de prueba admitidos en derecho, la realidad de tales daños y/o perjuicios, de suerte que sólo podía quedar para la fase de ejecución de sentencia la fijación o determinación del quantum de la indemnización debida. Además, el concepto o conceptos dañosos y/o perjudiciales que se invocasen debían estar ligados al menoscabo o daño, de cualquier orden, producido por la situación de abuso, pues ésta era su causa, y «*no a hipotéticas «equivalen-*

---

[172]   En este sentido, entre otras, SSTS (CA) de 26 de septiembre de 2018 (Recs. 1305/2017 y 785/2017), 28 de mayo de 2020 (Rec. 6161/2017), 9 de diciembre de 2020 (Rec. 7976/2018), 16 de diciembre de 2020 (Rec. 2081/2019) y 17 de febrero de 2021 (Rec. 3321/2019).

*cias», al momento del cese e inexistentes en aquel tipo de relación de empleo, con otras relaciones laborales o de empleo público»*[173].

En fin, a la hora de dilucidar si existe una situación de abuso por parte de la Administración pública en la sucesión de nombramientos de funcionarios interinos por vacante, los tribunales españoles analizan todas las circunstancias del caso. En particular, los elementos que se consideran de forma especial para decidir si existe o no esa situación de abuso, son el tiempo y el número de nombramientos sucesivos de que ha sido objeto la misma persona para realizar un mismo trabajo, si durante dicho período se han realizado o no convocatorias de procesos de acceso a la función pública para la cobertura de las plazas ocupadas por el funcionario interino, la actividad desplegada por la Administración durante los procesos de provisión o de selección, la normativa de estabilidad presupuestaria, la valoración del tiempo de trabajo y de la experiencia en los procesos selectivos de acceso a la función pública y en las correspondientes bolsas o listas de interinos[174].

En este contexto, el apartado 4 de la DA 17.ª del EBEP, añadida por el RD-1 14/2021, determina que el incumplimiento del plazo máximo de permanencia del personal funcionario interino dará lugar a una compensación económica equivalente *«a veinte días de sus retribuciones fijas por año de servicio, prorrateándose por meses los períodos de tiempo inferiores a un año, hasta un máximo de doce mensualidades»*. El derecho a esta compensación nacerá a partir de la fecha del cese efectivo y la cuantía estará referida exclusivamente al nombramiento del que traiga causa el incumplimiento. No habrá derecho a compensación en caso de que la finalización de la relación de servicio sea por causas disciplinarias ni por renuncia voluntaria.

---

[173] SSTS (CA) de 26 de septiembre de 2018 (Recs. 1305/2017 y 785/2017), y 28 de mayo de 2020 (Rec. 6161/2017).

[174] Por todas, las SSTS (CA) de 26 de septiembre de 2018 (Recs. 1305/2017 y 785/2017) y 23 de noviembre de 2020 (Rec. 5347/2018); y SSTSJ (CA) de la Rioja de 4 de septiembre de 2019 (Rec. 92/2019), 15 de mayo de 2020 (Rec. 164/2019) y 30 de marzo de 2020 (Rec. 128/2019 y 228/2019).

# III. UNA REFLEXIÓN DE CONJUNTO

Como conclusión del análisis desarrollado hasta ahora, cabe hacer dos reflexiones de alcance general.

## 1. La dudosa existencia de garantías frente a la utilización abusiva de las vinculaciones temporales

La primera se relaciona con la muy dudosa adecuación, antes del RDL 14/2021, de nuestro ordenamiento a las exigencias de la Directiva en materia de relaciones laborales de duración determinada. Es verdad que, formalmente, existen límites a su utilización sucesiva; y también que, cuando los mismos se vulneran, resultan de aplicación ciertas garantías de la posición de los trabajadores o funcionarios temporales. Pero los mismos aparecen como insuficientes para dar cumplimiento a las finalidades de la norma europea, tal y como viene siendo aplicada por el TJUE.

Aunque este suele reenviar la valoración de la efectividad a los órganos judiciales nacionales que le proponen cuestiones prejudiciales, en el marco de sus respuestas proporciona indicaciones consistentes en el sentido indicado. Valen a estos efectos las siguientes consideraciones.

1.ª) Una regla imperativa según la cual, cuando un trabajador ha sido empleado de modo ininterrumpido por el mismo empleador, en virtud de varios contratos de duración determinada, por una duración superior a un año, dichos contratos se transforman en relación laboral por tiempo indefinido, puede cumplir las exigencias de la Directiva. Y así, una normativa de ese tipo puede contener al mismo tiempo una medida legal existente equivalente a la medida preventiva del recurso abusivo a los contratos de trabajo de duración determinada sucesivos enunciada en la cláusula 5, apartado 1, letra b), del Acuerdo marco, relativa a la duración máxima total de dichos contratos, y una medida que sanciona efectivamente ese recurso abusivo[175].

---

[175]   STJUE de 3 de julio de 2014 (Asuntos C-362/13, C-363/13 y C-407/13).

Ahora bien, por lo que respecta a la transformación de los empleados públicos que hayan sido nombrados de manera abusiva en el marco de sucesivas relaciones de servicio de duración determinada en «indefinidos no fijos», el Tribunal de Justicia ha expresado sus dudas a propósito de si esta medida permite alcanzar la finalidad perseguida por la cláusula 5 del Acuerdo Marco.

Aunque la STJUE de 14 de septiembre de 2016 (Asuntos C-184/15 y C-197/15) pareció entender que «*la asimilación de dicho personal con relaciones de servicio de duración determinada a los trabajadores indefinidos no fijos, con arreglo a la jurisprudencia nacional existente, podría ser una medida apta para sancionar la utilización abusiva de los contratos de trabajo de duración determinada y eliminar las consecuencias de la infracción de lo dispuesto en el Acuerdo marco*», su más reciente sentencia de 19 de marzo de 2020 (C-103/18 y C-429/18) parece corregir esta apreciación. Subraya a propósito de la transformación de los empleados públicos que hayan sido nombrados de manera abusiva en el marco de sucesivas relaciones de servicio de duración determinada en «indefinidos no fijos», que los propios juzgados remitentes consideran que esta medida no permite alcanzar la finalidad perseguida por la cláusula 5 del Acuerdo Marco. En efecto, de los autos de remisión se desprende que esta transformación se produce sin perjuicio de la posibilidad de que el empleador amortice la plaza o cese al empleado público con nombramiento de duración determinada de que se trate cuando la plaza se cubra por reingreso del funcionario sustituido. Además, como han señalado los juzgados remitentes, a diferencia de la transformación, en el sector privado, de los sucesivos contratos de trabajo de duración determinada en contratos de trabajo por tiempo indefinido, la transformación de los empleados públicos con nombramiento de duración determinada en «indefinidos no fijos» no les permite disfrutar de las mismas condiciones de trabajo que el personal estatutario fijo.

2.ª) Lo mismo cabe decir respecto de la organización, dentro de los plazos establecidos, de procesos selectivos que tengan por objeto la provisión definitiva de las plazas ocupadas provisionalmente por empleados públicos con una relación de servicio de duración determinada. Ciertamente, tal medida es adecuada para evitar que se perpetúe la situación de precariedad de dichos empleados, al garantizar que las plazas que ocupan se cubran rápidamente de manera definitiva. Ahora bien, una normativa nacional que prevé la organización de procesos selectivos que tienen por objeto cubrir de manera definitiva las plazas ocupadas provisionalmente por empleados públicos con una relación de servicio de duración determinada, así como los plazos concretos a tal fin, pero que no garantiza que esos procesos se organicen efectivamente, no resulta adecuada para prevenir la utilización abusiva, por parte del empleador de que se trate, de sucesivas relaciones de servicio de duración determinada. Por consiguiente, sin perjuicio de la comprobación que deben realizar los juzgados remitentes, tal normativa no parece constituir una medida suficientemente efectiva y disuasoria para garantizar la plena eficacia de las normas adoptadas en aplicación del Acuerdo Marco ni, por tanto, una «medida legal equivalente» en el sentido de la cláusula 5 del Acuerdo Marco. Lo mismo sucede con la articulación de procesos de consolidación del empleo temporal similares a los previstos en la Disposición Transitoria 4ª del Estatuto Básico del Empleado Público, ya que esta disposición solo atribuye una facultad a la Administración, de modo que esta no está obligada a aplicar dicha disposición aun cuando se haya comprobado que recurría de manera abusiva a la utilización de sucesivos contratos o relaciones laborales de duración determinada.

En esta línea, la STJUE de 19 de marzo de 2020 (Asuntos C-103/18 y C 429/18) ha ido todavía más lejos al resaltar que la organización de los procesos selectivos que tengan por objeto la provisión definitiva de las plazas ocupadas provisionalmente por empleados públicos con una relación de servicio de duración determinada no resulta adecuada para sancionar debidamente la utilización abusiva de las relaciones de duración determinada ni para eliminar las consecuencias de la infracción del Derecho de la Unión, ya que su aplicación no tiene ningún efecto negativo para ese empleador. A mayor abundamiento, por lo que respecta al hecho de que la organización de procesos selectivos ofrece a los empleados públicos que hayan sido nombrados de manera abusiva en el marco de sucesivas relaciones de servicio de duración determinada la oportunidad de intentar acceder a la estabilidad en el empleo, ya que, en principio, pueden participar en dichos procesos, este hecho no exime a los Estados miembros del cumplimiento de la obligación de establecer una medida adecuada para sancionar debidamente la utilización abusiva de sucesivos contratos y relaciones laborales de duración determinada. En efecto, tales procesos, cuyo resultado es además incierto, también están abiertos a los candidatos que no han sido víctimas de tal abuso. Por consiguiente, dado que la organización de estos procesos es independiente de cualquier consideración relativa al carácter abusivo de la utilización de relaciones de servicio de duración determinada, no resulta adecuada para sancionar debidamente la utilización abusiva de tales relaciones de servicio ni para eliminar las consecuencias de la infracción del Derecho de la Unión. En consecuencia, no parece que permita alcanzar la finalidad perseguida por la cláusula 5 del Acuerdo Marco.

3.ª) Por último, en cuanto a la concesión de una indemnización equivalente a la abonada en caso de despido improcedente, procede recordar que, para constituir una «medida legal equivalente», en el sentido de la cláusula 5 del Acuerdo Marco, la concesión de una indemnización debe tener específicamente por objeto compensar los efectos de la utilización abusiva de sucesivos contratos o relaciones laborales de duración determinada. De conformidad con la jurisprudencia del Tribunal de Justicia recordada en el apartado 86 de la presente sentencia, es necesario además que la indemnización concedida no solo sea proporcionada, sino también lo bastante efectiva y disuasoria como para garantizar la plena eficacia de dicha cláusula. En estas circunstancias, en la medida en que el Derecho español permita conceder a los miembros del personal estatutario temporal víctimas de la utilización abusiva de sucesivas relaciones de servicio de duración determinada una indemnización equivalente a la abonada en caso de despido improcedente corresponde a los juzgados remitentes determinar si tal medida es adecuada para prevenir y, en su caso, sancionar tal abuso.

## 2. La dudosa relevancia de la justificación basada en las restricciones presupuestarias

En otro orden de consideraciones, hay que hacer alguna referencia a la posible relevancia de la imposibilidad que ha existido en los últimos años de convocar los procesos selectivos por las sucesivas restricciones que han estado vigentes durante la década anterior en relación con la formación de las ofertas públicas de empleo.

La jurisprudencia española ha considerado que puede existir utilización abusiva de la contratación temporal en los casos en los que la convocatoria de los puestos de trabajo no se ha producido por decisión de la Administración empleadora. En este sentido, una situación en la que un empleado público nombrado sobre la base de una relación de servicio de duración determinada —hasta que la plaza vacante para la que ha sido nombrado sea provista de forma definitiva— ha ocupado, en el marco de varios nombramientos o durante un período injustificadamente largo, el mismo puesto de trabajo de modo ininterrumpido durante varios años y ha desempeñado de forma constante y continuada las mismas funciones, cuando el mantenimiento de modo permanente de dicho empleado público en esa plaza vacante se deba al incumplimiento por parte del empleador de su obligación legal de organizar un proceso selectivo al objeto de proveer definitivamente la mencionada plaza vacante, ha de ser considerada como fraudulenta[176]. En cambio, la doctrina jurisprudencial estima que el contrato de interinidad por vacante no puede considerarse fraudulento cuando la Administración demandada estuvo, durante gran parte de la duración del contrato, impedida legalmente para convocar la plaza ocupada interinamente[177].

Esta diferencia se justifica no solo en la existencia de la norma legal que impide la regular provisión de los puestos vacantes ocupados por interinos sino también en su vinculación con la propia política económica europea. Se subraya, en este último sentido, que esas restrictivas previsiones tienen como uno de sus objetivos cumplir con las exigencias de estabilidad presupuestaria que el Derecho de la UE impone hasta el extremo de haber obligado a una reforma constitucional (art. 135 CE). Y el propio Derecho primario de la UE sienta las bases de esa exigencia en los artículos 121 (supervisión multilateral) y 126 del TFUE (proce-

---

[176]   STS de 24 de abril de 2019 (Recud. 1001/2017).

[177]   Entre otras, las SSTS de 9 de junio de 2020 (Recuds. 326/2019 y 5002/2018), 10 de junio de 2020 (Recuds. 3550/2018 y 4724/2018), 12 de junio de 2020 (Recuds. 3491/2018 y 4841/2018), 24 de junio de 2020 (Recud. 1186/2018) y 16 de julio de 2020 (Recuds.1754/2018 y 4727/2018).

dimiento aplicable en caso de déficit excesivo), y en el Protocolo (n.º 12) sobre el procedimiento aplicable en caso de déficit excesivo. Este canon hermenéutico, por tanto, ha de ser especialmente considerado cuando se abordan cuestiones como la presente, donde entran en juego previsiones de Derecho comunitario. Si, con ese importantísimo apoyo normativo, no cabía la convocatoria de plazas durante diversos ejercicios y se trata de periodo que afecta al caso, es evidente que no cabe hablar de incumplimiento por parte de la entidad empleadora, sin que quepa suscribir la tesis de que el art. 70 del EBEP queda incólume porque ninguna referencia se contiene al mismo en tales normas de restricción presupuestaria.

Sin embargo, a nuestro juicio, no resulta convincente. La existencia de estas restricciones no ha impedido, como hemos visto, el mantenimiento, e incluso aumento, del número de funcionarios interinos durante la crisis económica. Habida cuenta de ello y del lógico mantenimiento de los costes de personal, es difícil aceptar que la política europea de contención del déficit pueda ser utilizada para justificar el desconocimiento de la Directiva en materia de vinculaciones laborales de duración determinada. El TJUE, en su sentencia de 3 de junio de 2021 *(Asunto C-726/19), lo ha dejado bien claro. En esta línea ha señalado que "aunque las consideraciones presupuestarias pueden fundamentar elecciones de política social de un Estado miembro e influir en la naturaleza o el alcance de las medidas que pretende adoptar, no constituyen en sí mismas un objetivo de esa política y, por tanto, no pueden justificar la falta de cualquier medida preventiva contra la utilización abusiva de sucesivos contratos de trabajo de duración determinada en el sentido de la cláusula 5, apartado 1, del Acuerdo Marco".* En consecuencia *"dichas leyes no pueden restringir ni incluso anular la protección de que gozan los trabajadores con contrato de duración determinada de conformidad con la Directiva 1999/70"* (§§ 91 y 92).

# Capítulo Sexto

# La regularización del empleo temporal de larga duración

## I. ASPECTOS GENERALES

Entrando ya en la posibilidad de fundamentar en la Directiva alguna solución de excepción para la situación de los interinos de larga duración, conviene, de entrada, recordar, siquiera brevemente, las grandes coordenadas en las que se mueve nuestro Derecho interno en relación con el acceso al empleo público. Por un lado, la Constitución establece, en la sección dedicada a derechos fundamentales y libertades públicas, el derecho de los ciudadanos «*a acceder en condiciones de igualdad a las funciones y cargos públicos, con los requisitos que señalen las leyes*» (art. 23.2 CE). Por su parte, el art. 103.3 de la CE confía a la ley la tarea de regular «*el acceso a la función pública de acuerdo con los principios de mérito y capacidad*».

Sobre la base de estos principios, la jurisprudencia del Tribunal Constitucional ha desarrollado un extenso cuerpo doctrinal respecto de los requisitos que deben cumplir los procesos que posibilitan el acceso definitivo a la función pública y a los puestos de personal laboral. Sin entrar por ahora en detalles, cabría destacar las siguientes ideas:

1.ª) El derecho de acceso en condiciones de igualdad del art. 23.2 impide «*la integración automática de determinados grupos en la función pública (STC 302/1993, de 21 de octubre), así como, en principio y salvo excepciones, las llamadas «pruebas restringidas» para el acceso a la función pública (SSTC 27/1991, de 14 de febrero; 151/1992, de 19 de octubre; 4/1993, de 14 de enero; 60/1994, de 28 de febrero; 16/1998, de 26 de enero; o 12/1999, de 11 de febrero)*»[178].

---

[178]   STC 111/2014, de 26 de junio. Véanse también las SSTC 238/2015, de 19 de noviembre, y 38/2021, de 18 de febrero.

2.ª) Las exigencias de la igualdad en el acceso se proyectan también sobre el establecimiento de requisitos para la participación en los procesos selectivos, así como en el tratamiento de los participantes. La extensa doctrina sobre este particular ha sido resumida en la STC 27/2012, de 1 de marzo, en relación con el alcance que cabe asignar a la previa experiencia en las funciones y/o puestos convocados, bien como requisito de participación bien como mérito a valorar en el proceso.

Sintéticamente, el TC entiende que las normas que regulan estos procesos no pueden establecer «*diferencias entre los participantes carentes de justificación objetiva y razonable y que no sean desproporcionadas, que los requisitos de acceso y criterios de selección se dispongan en términos generales y abstractos, y además, que estén referidos a los principios de mérito y capacidad*».

Eso sí, «*en determinados supuestos extraordinarios se ha considerado acorde con la Constitución, que en procesos selectivos de acceso a funciones públicas se establezca un trato de favor en relación a unos participantes respecto de otros. Esta excepción a la regla general se ha considerado legítima en supuestos verdaderamente singulares, en los que las especiales circunstancias de una Administración y el momento concreto en el que se celebraban estas pruebas, justificaban la desigualdad de trato entre los participantes, beneficiando a aquellos que ya habían prestado en el pasado servicios profesionales en situación de interinidad en la Administración convocante. Estos supuestos varían desde la celebración de pruebas restringidas (STC 27/1991, de 14 de febrero) a pruebas en las que se primaba de manera muy notable los servicios prestados en la Administración, pero en uno y otro caso, ha existido siempre justificación de las singulares y excepcionales circunstancias que de manera expresa se explicaban en cada una de las convocatorias (SSTC 67/1989, de 18 de abril; 185/1994, de 20 de junio; 12/1999, de 11 de febrero; 83/2000, de 27 de marzo, o 107/2003, de 2 de junio)*».

Todos estos criterios se encuentran, en fin, concretados en el EBEP. Tras insistir, en su art. 55.1, en los indicados principios, el EBEP establece una ordenación general de los procesos de acceso. Aparte otras cuestiones que no interesan para este informe, el precepto clave es el art. 61, del que interesa destacar las siguientes reglas:

1.º) «*Los procesos selectivos tendrán carácter abierto y garantizarán la libre concurrencia, sin perjuicio de lo establecido para la promoción interna y de las medidas de discriminación positiva previstas en este Estatuto»* (apartado 1).

2.º) Por lo que se refiere a la regulación de los procesos selectivos, se establecen criterios sobre la configuración de las pruebas que se prevean (art. 61.2) así como para la valoración de méritos que pudiera existir. Desde esta perspectiva, el art. 61.3 del EBEP establece que *«los procesos selectivos que incluyan, además de las preceptivas pruebas de capacidad, la valoración de méritos de los aspirantes, sólo podrán otorgar a dicha valoración una puntuación proporcionada que no determinará, en ningún caso, por sí misma el resultado del proceso selectivo».*

3.º) Como regla general, por lo que se refiere a los funcionarios de carrera, los sistemas selectivos serán los de oposición y concurso-oposición: *«sólo en virtud de ley podrá aplicarse, con carácter excepcional, el sistema de concurso que consistirá únicamente en la valoración de méritos»* (art. 61.6 EBEP).

Para el personal laboral fijo, deben ser utilizados los mismos sistemas, si bien el concurso de valoración de méritos no queda expresamente sujeto a las mismas restricciones (art. 61.7 EBEP).

Por lo demás, resulta necesario reseñar que las normas contenidas en el EBEP tienen carácter básico a los efectos del art. 149.1.18ª de la CE (cfr. disp. final 1ª EBEP). Por su parte, la jurisprudencia constitucional ha asignado sin problema tal carácter básico a las previsiones establecidas en los arts. 55 y siguientes en relación con el acceso al empleo público[179].

## II. LA PRIMACÍA DEL DERECHO EUROPEO Y SU ALCANCE

Cabría pensar que las reglas internas que acaban de ser expuestas en materia de acceso al empleo público impiden el establecimiento de garantías específicas a favor de los interinos si han mantenido con sus Administraciones vinculaciones que pueden reputarse contrarias a los

---

[179]   Por todas, la STC 238/2015, de 19 de noviembre.

principios de la Directiva. Sin embargo, esta conclusión no puede alcanzarse de forma automática en atención a dos consideraciones. En primer lugar, a nuestro juicio, una interpretación de estas características no resulta aceptable en atención a los criterios que articulan las relaciones entre normas europeas y normas internas. En segundo lugar, debe tenerse en cuenta que los principios constitucionales en materia de acceso al empleo público admiten diferentes concreciones legales. En este sentido, aunque los criterios interpretativos elaborados por el TC se han concretado en el EBEP de un cierto modo, no puede perderse de vista que la jurisprudencia del TC es mucho más articulada y permite desarrollos diferentes siempre que exista justificación suficiente y se haga por la vía formal adecuada.

Desarrollando ahora la primera idea, hay que señalar que, aun siendo cierto que nuestra Constitución ocupa una posición de supremacía en nuestro ordenamiento jurídico, la misma es compatible con la primacía que corresponde al derecho europeo. Tal compatibilidad descansa en la cesión de soberanía por nuestra parte (art. 93 CE) que actúa como fundamento de la primacía de las normas europeas. De este modo, la primacía no es de alcance general sino que se refiere a las competencias propias de la Unión y se entiende sin perjuicio de la posibilidad de su recuperación por el Estado español a través del procedimiento de retirada voluntaria de la Unión (declaración TC 1/2004, de 13 de diciembre). En definitiva, «*el principio de primacía del Derecho de la Unión Europea forma parte del acervo comunitario incorporado a nuestro ordenamiento en virtud de la Ley Orgánica 10/1985, de 2 de agosto, de autorización para la adhesión de España a las Comunidades Europeas, y su efecto vinculante se remonta a la doctrina iniciada por el entonces Tribunal de Justicia de las Comunidades Europeas con la Sentencia de 15 de julio de 1964, asunto Costa contra Enel (6/64, Rec. pp. 1253 y ss., especialmente pp. 1269 y 1270)*» y se ha «*aceptado la primacía del Derecho de la Unión Europea, en el ámbito competencial que le es propio, por la propia Constitución Española en virtud de su art. 93*»[180].

Pero si esto es así, no puede existir ningún problema en que, como consecuencia de imperativos válidamente establecidos en el ámbito eu-

---

[180]     STC 145/2012, de 2 de julio.

ropeo, se establezcan excepciones o matices a las reglas de general aplicación en el ámbito interno, incluso si las mismas vienen recogidas en la Constitución. Así lo hemos podido ver, en efecto, en relación, primero, con la eficacia de otra Directiva que tutela expectativas de los trabajadores, la de transmisión de empresa (Directiva 2001/23/CE, del Consejo, de 12 de marzo de 2001, sobre la aproximación de las legislaciones de los Estados miembros relativas al mantenimiento de los derechos de los trabajadores en caso de traspasos de empresas, de centros de actividad o de partes de empresas o de centros de actividad); y, más recientemente, con la Directiva sobre contratación determinada que ahora nos ocupa.

Por lo que se refiere a la primera se ha cuestionado su aplicación sobre la base que alguno de los efectos que produce podrían vulnerar las exigencias de igualdad, capacidad y mérito que, conforme a la Constitución, han de regir los procesos de acceso al empleo público. Tal vulneración se produciría si un trabajador fijo tuviera que mantener tal condición, sin necesidad de superar las correspondientes pruebas selectivas, cuando una entidad pública adquiriera una empresa con anterioridad sujeta al derecho privado. Este es el caso que se ha planteado en la STJUE de 13 de junio de 2019 (Asunto C-317/18, *Correia Moreira*). En el supuesto resuelto se había producido la reversión de un determinado servicio prestado por una sociedad pública, disuelta por su titular, un ayuntamiento portugués, que asume directamente sus actividades. Comoquiera que el personal de aquella tuvo que sujetarse a los procesos de selección propios de la función pública el órgano judicial proponente de la cuestión prejudicial preguntó acerca de las relaciones entre la Directiva de transmisión de empresa y los principios en materia de acceso al empleo público:

> «*¿Se opone la legislación de la Unión Europea, en particular la Directiva 2001/23, en relación con el artículo 4 TUE, apartado 2, a una normativa nacional que, incluso en el caso de una transmisión comprendida en el ámbito de la citada Directiva, exige que los trabajadores se sometan necesariamente a un procedimiento público de selección y queden obligados por un nuevo vínculo con el cesionario al ser este último un ayuntamiento?*».

Y la respuesta del TJUE no deja, a nuestro juicio, espacio alguno para las dudas: no se puede más que responder a la cuestión en el sentido de que «*la Directiva 2001/23, en relación con el artículo 4 TUE, apartado 2,…*

*se opone a una normativa nacional que exige que, en caso de transmisión a efectos de dicha Directiva, al ser el cesionario un ayuntamiento, los trabajadores afectados, por un lado, se sometan a un procedimiento público de selección y, por otro, queden obligados por un nuevo vínculo con el cesionario»* (§ 63). Y este último planteamiento se incorpora de forma prácticamente literal al fallo de la sentencia. Es importante destacar que tal efecto se produce incluso si las indicadas consecuencias vienen impuestas por la propia Constitución del estado miembro. El pronunciamiento razona al respecto que, si bien, conforme al citado art. 4 del TUE, apartado 2, la Unión debe respetar *«la identidad nacional inherente a las estructuras fundamentales políticas y constitucionales de los Estados miembros»*, esta disposición *«no puede interpretarse... en el sentido de que, en un ámbito en el que los Estados miembros han transferido sus competencias a la Unión, como en materia de mantenimiento de los derechos de los trabajadores en caso de transmisión de empresas, permite privar a un trabajador de la protección que le confiere el Derecho de la Unión vigente en dicho ámbito»*.

Más recientemente, la STJUE de 11 de febrero de 2021, C-760/18, se ha ocupado sobre la aplicación de la Directiva 1999/70/CE en un supuesto en que el Estado miembro desde el que se plantea la cuestión prejudicial había procedido a modificar su Constitución *«con objeto de prohibir de modo absoluto, en el sector público, la conversión de los contratos de trabajo de duración determinada en contratos de trabajo por tiempo indefinido»*. Interrogado por el órgano judicial proponente en relación con la posibilidad de la aplicación de las normas internas de rango infraconstitucional que permitirían tal transformación, el TJUE vuelve a ser contundente:

> *«La cláusula 5, apartado 1, del Acuerdo Marco sobre el Trabajo de Duración Determinada debe interpretarse en el sentido de que, cuando se haya producido una utilización abusiva de sucesivos contratos de trabajo de duración determinada, a efectos de dicha disposición, la obligación del órgano jurisdiccional remitente de efectuar, en la medida de lo posible, una interpretación y aplicación de todas las disposiciones pertinentes del Derecho interno que permita sancionar debidamente ese abuso y eliminar las consecuencias de la infracción del Derecho de la Unión incluye la apreciación de si pueden aplicarse, en su caso, a efectos de esa interpretación conforme, las disposiciones de una normativa nacional anterior, todavía vigente, que autoriza la conversión de los sucesivos contratos de trabajo de duración determinada en un contrato de trabajo por tiempo indefinido, aunque*

*existan disposiciones nacionales de naturaleza constitucional que prohíban de modo absoluto dicha conversión en el sector público».*

## III. OPCIONES REGULATORIAS

Por lo que se refiere a la segunda idea anunciada, la jurisprudencia constitucional ha introducido matices en el alcance de los principios generales para solventar determinadas situaciones. Interesa conocerlos, así como su concreción por los tribunales ordinarios, para determinar las posibles opciones para dar una solución al problema.

A estos efectos, vamos a considerar por este orden las siguientes opciones: 1.º) La viabilidad de procesos de selección restringidos. 2.º) La viabilidad de procesos de selección basados en un concurso de méritos. 3.º) La viabilidad de procesos de selección basados en un concurso-oposición.

### 1. *Los procesos de selección restringidos*

El art. 55.1 del EBEP califica como rectores del derecho al acceso al empleo público en general los principios constitucionales de igualdad, mérito y capacidad, y el art. 61 determina además el carácter abierto de los procesos selectivos, que garantizarán la libre concurrencia, sin perjuicio de lo establecido para la promoción interna y de las medidas de discriminación positiva. De todo ello resulta que el legislador básico establece el carácter abierto de los procesos selectivos de acceso a la función pública (art. 61.1 EBEP).

No obstante lo anterior, el Alto Tribunal ha admitido la posibilidad de que el acceso a la función pública quede restringido a las personas que ocupan puestos de forma no definitiva en la correspondiente Administración. En este sentido, sostiene que «*no cabe excluir que en determinados casos excepcionales la diferencia de trato establecida en la Ley en favor de unos y en perjuicio de otros pueda considerarse como razonable, proporcionada y no arbitraria a los efectos de la desigualdad de trato que establece, siempre que dicha diferenciación se demuestre como un medio excepcional y adecuado para resolver una situación también excepcional, expresamente prevista en una norma con rango de Ley y con el objeto de alcanzar una finalidad constitucionalmente legítima, entre las que se integra también la propia eficacia de la Administración Pública»*[181].

En cualquier caso, según la doctrina constitucional, para que la prohibición de los procesos de selección restringidos pueda ceder es preciso que se cumplan los siguientes requisitos:

1.º) Primero, que se trate de una situación excepcional. En este sentido, se ha considerado que concurre este primer requisito cuando la convocatoria del proceso restringido pretende resolver una situación singular que tiene su origen en la necesidad de instaurar una nueva Administración Pública o un nuevo aparato administrativo en un ámbito concreto como el sanitario y contribuir a la estabilidad y eficacia de la Administración Pública, al tener que adscribir de forma inmediata personal en régimen de contratación o de interinidad, al no existir una plantilla de funcionarios ni tiempo para acudir a las formas normales de ingreso. En este sentido, la STC 27/1991, de 14 de febrero, señala lo siguiente: *«En este sentido, debe tenerse en cuenta que las disposiciones impugnadas contemplan medidas de carácter transitorio y excepcional para resolver una situación singular y derivada de un proceso único e irrepetible de creación de una nueva forma de organización de las Administraciones Públicas a nivel autonómico que dio lugar a la necesidad de adscribir, de forma inmediata, a personal en régimen de Derecho administrativo, cuando ni existían plantillas de funcionarios ni había tiempo para poder acudir a las formas normales de ingreso en la Administración Pública como funcionario de carrera. Además, a esta situación se añadió la prohibición que establecía la Ley 30/1984 de celebrar contratos administrativos por las Administraciones Públicas, lo que requería también que el legislador adoptara medidas para solucionar los problemas coyunturales que esa importante modificación normativa producía en relación con situaciones personales. Es esta situación excepcional y transitoria la que, mediante la pertinente habilitación ilegal, puede justificar este sacrificio de la igualdad de trato, a través del reconocimiento de una situación diferenciada que, por las circunstancias del caso y por*

---

[181]   Por todas, las SSTC 27/1991, de 14 de febrero; 16/1998, de 26 de enero; 130/2009, de 1 de junio; y 238/2015, de 19 de noviembre.

*los intereses en juego, cabe considerar compatible con el art. 23 C.E., aunque desde luego en modo alguno ha de resultar generalizable o extensible a otros supuestos. Mediante tales disposiciones lo que se persigue exclusivamente es atender a las expectativas de acceso a la función pública creadas por la necesidad de instaurar una nueva Administración autonómica y contribuir a la estabilidad y eficacia de la misma».*

2.º) Segundo, que sólo se acuda a este tipo de procedimientos una sola vez, pues de otro modo se perdería su condición de remedio excepcional para una situación también excepcional.

3.º) Y en tercer y último lugar que dicha posibilidad esté prevista en una norma de rango legal. Por lo demás, como subraya el Tribunal Constitucional, encajan en las bases del régimen estatutario de los funcionarios públicos la norma que prevé que la adquisición de tal condición se verificará mediante convocatorias abiertas y también, por implicar una modulación de dicha norma, las excepciones que eventualmente se pueden prever a tal regla general[182]. Por lo tanto, tendría que ser una ley estatal de carácter básico la que contemplase la posibilidad de establecer procesos de selección de restringidos a ciertos participantes.

## 2. Los procesos de selección basados en un concurso de méritos

Con respecto a la posibilidad de establecer para los interinos de larga duración un sistema de consolidación de empleo basado solo en el concurso de méritos, hay que distinguir según se trate de personal funcionario o laboral.

### 2.1. Personal funcionario

Según el art. 61.6 del EBEP, los sistemas selectivos de funcionarios de carrera *«serán los de oposición y concurso-oposición que deberán incluir, en todo caso, una o varias pruebas para determinar la capacidad de los aspiran-*

---

[182] STC 238/2015, de 19 de noviembre.

*tes y establecer el orden de prelación»* y «*sólo en virtud de ley podrá aplicarse, con carácter excepcional, el sistema de concurso que consistirá únicamente en la valoración de méritos*». Con todo, el sistema ordinario para el ingreso en la función pública estatal es el de oposición, mientras que los de concurso-oposición y concurso deben considerarse excepcionales, en la medida en que sólo están previstos para los casos en que su utilización sea más adecuada por la naturaleza de las plazas o de las funciones a desempeñar (art. 4.1 RGI).

En el ámbito de las Comunidades Autónomas, cabe subrayar las siguientes líneas de tendencia, a saber:

a)  Un primer grupo de leyes anteriores al EBEP, que no han sido modificadas a este respecto, configuran la oposición, el concurso-oposición y el concurso de méritos como los sistemas selectivos ordinarios para la selección del personal funcionario de carrera, sin establecer ningún orden o prelación entre los mismos[183].

b)  Un segundo grupo de leyes configuran el concurso de méritos como un sistema de selección de carácter excepcional sin más[184]. Además, hay leyes que exigen una ley específica que prevea el sistema de concurso[185]. En cambio, según otras leyes, este sistema se aplicará excepcionalmente para seleccionar el personal funcionario de carrera, previa resolución motivada del Consejo de Gobierno, cuando se trate de proveer puestos de trabajo de ca-

---

[183]  Cfr. art. 39 de la Ley 6/1985, de 28 de noviembre, de Ordenación de la Función Pública de la Junta de Andalucía; art. 45 de la Ley 3/1985, de 26 de diciembre, de Ordenación de la Función Pública de la Administración del Principado de Asturias; y art. 41 de la Ley 4/1993, de 10 de marzo, de la Función Pública de Cantabria.

[184]  Cfr. art. 27 del Decreto Legislativo 1/1991, de 19 de febrero de la Diputación General de Aragón, por el que se aprueba el texto refundido de la Ley de Ordenación de la Función Pública de la Comunidad Autónoma de Aragón; y art. 45 de la Ley 3/2007, de 27 de marzo, de la Función Pública de la Comunidad Autónoma de las Islas Baleares.

[185]  Cfr. art. 41.3 de la Ley 7/2005, de 24 de mayo, de la Función Pública de Castilla y León; art. 95.1 de la Ley 13/2015, de 8 de abril, de Función Pública de Extremadura; art. 57.1 de la Ley 2/2015, de 29 de abril, del empleo público de Galicia; y art. 65.4 de la Ley 4/2021, de 16 de abril, de la Función Pública Valenciana.

rácter singular que, por sus funciones, características y tecnificación especial, necesiten ser cubiertos por personal de experiencia o méritos muy especiales[186].

c) A mayor abundamiento, un tercer grupo de leyes determina que la selección del personal funcionario de carrera se realizará preferentemente por el sistema de oposición, salvo cuando por la naturaleza de las funciones a desempeñar sea más adecuada la utilización del sistema de concurso-oposición a fin de valorar determinados méritos o niveles de experiencia[187].

Mientras que el RD 896/1991, de 7 de junio, sobre reglas básicas y programas mínimos para el procedimiento de selección de funcionarios de la Administración Local, dictado en cumplimiento del mandato del art. 100 de la Ley 7/1985, de 2 de abril, entre cuyas normas revisten el carácter básico las que definen reglas esenciales y programas mínimos como así expresa su Preámbulo y la DF 1ª, a efectos de lo previsto en el art. 149.1.18 de la Constitución Española, dispone en su art. 2 que *«el ingreso en la Función Pública Local se realizará, con carácter general, a través del sistema de oposición, salvo que, por la naturaleza de las plazas o de las funciones a desempeñar, sea más adecuada la utilización del sistema de concurso-oposición o concurso».* Por lo tanto, el sistema ordinario para el ingreso en la función pública local es el de oposición, mientras que los de concurso-oposición y concurso deben considerarse excepcionales, en la medida en que sólo están previstos para los casos en que su utilización sea más adecuada *«por la naturaleza de las plazas o de las funciones a desempeñar»,* limitando con ello la discrecionalidad de la Administración en orden a escoger los sistemas selectivos para cubrir las plazas vacantes,

---

186  Verbigracia, art. 50 del Decreto Legislativo 1/1997, de 31 de octubre, por el que se aprueba la refundición en un Texto único de los preceptos de determinados textos legales vigentes en Cataluña en materia de función pública; y art. 21 de la Ley 1/1986, de 10 de abril, de la Función Pública de la Comunidad de Madrid.

187  Verbigracia, art. 27 del Decreto Legislativo 1/1991, de 19 de febrero de la Diputación General de Aragón, por el que se aprueba el texto refundido de la Ley de Ordenación de la Función Pública de la Comunidad Autónoma de Aragón; art. 73 de la Ley 2/1987, de 30 de marzo, de la Función Pública de Canarias; arts. 41 y 42 de la Ley 7/2005, de 24 de mayo, de la Función Pública de Castilla y León; y art. 27 de la Ley 6/1989, de 6 de julio, de la Función Pública Vasca.

dado que tiene que justificar las razones que le conducen a apartarse del sistema ordinario en las convocatorias, cuando la opción por el sistema de concurso o de concurso-oposición en vez de utilizar la vía de la oposición, no cabe inferirla de la propia naturaleza de la plaza aludida ni de las funciones que le son inherentes[188].

En fin, el sistema de concurso tiene carácter excepcional y exige una ley específica que lo contemple. Pues bien, el Tribunal Constitucional ha admitido que dicho sistema pueda ser utilizado por el legislador en los procesos de consolidación de empleo temporal.

En este sentido, pueden traerse a colación dos pronunciamientos del Tribunal Constitucional, a saber:

Por un lado, la STC 11/1996, de 29 de enero, se ocupa del peculiar sistema selectivo establecido en las normas transitorias de la Ley Orgánica General del Sistema Educativo que, si bien contenía «un sistema general de ingreso en el cuerpo docente, por medio del concurso-oposición», preveía igualmente «otro excepcional para absorber el profesorado no numerario nacido desde la anterior Ley General de Educación, un cuarto de siglo antes, cuya mayoría se hallaba en una situación precaria». En concreto las tres primeras convocatorias de ingreso en la función pública docente se habían de llevar «a cabo mediante un «sistema de selección» que, a diferencia del general, se basa en «la valoración ponderada global» de los conocimientos sobre los contenidos curriculares así como de los méritos académicos alegados por los aspirantes, precisando que «entre éstos, tendrán una valoración preferente los servicios prestados en la enseñanza pública»».

La sentencia del TC convalidó la utilización de este sistema selectivo en los siguientes términos: «*Esta previsión del legislador pertenece al ámbito de su libre configuración y respeta la igualdad en el acceso a la función pública exigida por el artículo 23.2 CE, así como los principios contenidos en el artículo 103.3 del propio Texto Constitucional. En primer lugar, porque «el trato de favor concedido a los aspirantes que, con anterioridad hubiesen*

---

[188]     STS (CA) de 18 de abril de 1995 (Rec. 9247/1991); y SSTSJ de Castilla-La Mancha (CA) de 8 de febrero de 2003 (Rec. 248/1999) y de Asturias (CA) de 11 de noviembre de 2004 (Rec. 2000/2002).

*desempeñado tareas docentes como interinos posee un carácter excepcional y deriva de una circunstancia vinculada a una finalidad constitucionalmente legítima, como es la de normalizar la situación del personal al servicio de las Administraciones educativas y mejorar su cualificación». Por otra parte, pese a su carácter excepcional, «no equiparable a las llamadas «pruebas restringidas», ya que permite el acceso no sólo a quienes con anterioridad hubieran desempeñado funciones docentes con carácter interino sino a todos aquellos que reúnan los requisitos legalmente previstos». Además, está basado en los principios de mérito y capacidad, si bien se establece, por su carácter excepcional, una fórmula de «valoración ponderada y global» de los conocimientos académicos. Por tanto, es razonable este sistema de selección en su aplicación en «las tres primeras convocatorias», pues con ello se pretende, progresiva y escalonadamente, no sólo acomodarse al ritmo de la reforma sino permitir una evaluación gradual de los efectos de la aplicación del sistema. En consecuencia, ninguna tacha puede hacerse a este procedimiento transitorio en el plano de la constitucionalidad».*

Por otro lado, en esta misma línea, cabe traer a colación la posterior STC 12/1999, de 11 de febrero, que admite la validez de la DT 4.ª de la Ley de Castilla y León 1/1993, de 6 de abril, de Ordenación del Sistema Sanitario, en cuya virtud el acceso a la condición de funcionario se realizará, «con carácter excepcional, transitorio y por una sola vez», mediante un procedimiento de concurso de méritos que prima de manera muy notable los servicios prestados en la Administración sanitaria de la Comunidad Autónoma frente a los que lo hayan sido en otras Administraciones o en otras partes del territorio nacional. Pues bien, a juicio del Alto Tribunal, la excepcionalidad de la solución adoptada es menor que en aquellos supuestos en los que sencillamente se excluye del proceso selectivo a quienes no tengan una previa relación de servicio con la Administración convocante, y, además, a través de esta convocatoria pretende resolverse una situación singular que tiene su origen en la puesta en planta de la Administración sanitaria de Castilla y León, de manera que, como en el supuesto planteado en la STC 16/1998, concurriría el primero de los requisitos antes señalados. En definitiva, la Administración sanitaria de Castilla y León *«ha contado hasta el momento con un personal interino cuya estabilización funcionarial podría haberle inclinado a la convocatoria de un concurso restringido»* y, sin embargo, *«ha querido conseguir esa estabilización con un sistema de selección en el que, aun primándose la condición de interino, no se hiciera imposible el acceso de profesionales que hubieran prestado servicios en otras Administraciones, por lo que se dan las condiciones que, según nuestra ya citada doctrina (especialmente, STC 185/1994), derivan del art. 23.2 de la Constitución».*

En cualquier caso, como señala la STS (CA) de 9 de julio de 2008 (Rec. 2219/2004), *«una cosa es la constitucionalidad de un sistema de acceso restringido para el personal interino, que es lo que declaró la STC 12/1999 (subrayando además la excepcionalidad que ha concurrir en la solución), y otra diferente que el personal interino tenga un incondicional derecho a un sistema restringido y que este haya de consistir necesariamente en un concurso y no en pruebas de conocimiento, que es lo que vienen a plantear los recurrentes».*

## 2.2. Personal laboral

El art. 61.7 del EBEP establece que *«los sistemas selectivos de personal laboral fijo serán los de oposición, concurso-oposición, con las características establecidas en el apartado anterior, o concurso de valoración de méritos».* De esta manera, el EBEP mantiene los sistemas selectivos tradicionales (la oposición, el concurso-oposición y el concurso de méritos). Pero, a diferencia de lo que ocurre con los funcionarios de carrera, no se establece ningún orden o prelación entre los sistemas selectivos clásicos. Y así, para el personal laboral se prevé un régimen más flexible que se permite utilizar indistintamente cualquiera de los tres sistemas reseñados[189].

En el ámbito de la Administración General del Estado, el art. 29 del RGI tampoco establece ninguna prelación entre los sistemas selectivos

---

[189]   FONDEVILA ANTOLÍN, J., «Repensar el diseño de los procesos selectivos en el empleo público: respuestas ágiles frente a las necesidades inmediatas y fortalecimiento de la especialización de los órganos de selección», *Revista Vasca de Gestión de Personas y Organizaciones Públicas*, núm. Extra 2, 2018, pág. 103. Sobre los sistemas selectivos del personal laboral fijo en las diferentes Administraciones Públicas, véase, por todos, ROQUETA BUJ, R., *El acceso del personal laboral en las Administraciones Públicas*, Tirant lo Blanch, Valencia, 2019.

tradicionales. En este sentido, dispone que los sistemas selectivos del personal laboral «*serán la oposición, el concurso-oposición y el concurso*». Por su parte, el art. 31 del III Convenio colectivo único para el personal laboral de la Administración General del Estado se limita a señalar que «*el concurso-oposición se utilizará en aquellos procesos selectivos en los que se considere que la experiencia laboral es un elemento sustancial para establecer la idoneidad y capacidad de los candidatos en relación con el futuro desempeño*». De este modo, en la Administración estatal existe libertad para elegir el sistema selectivo que sea en cada convocatoria pública.

En el ámbito de las Comunidades Autónomas, existe disparidad de criterio. En este sentido, cabe subrayar las siguientes líneas de tendencia, a saber: a) Un primer grupo de leyes configuran la oposición y el concurso-oposición o el concurso-oposición como los sistemas selectivos ordinarios para la selección del personal laboral fijo, salvo cuando por la naturaleza de las funciones a desempeñar (por ejemplo, cuando se trate del acceso a puestos de trabajo que, en atención a sus peculiares características, deban ser cubiertos por personal con méritos determinados, niveles de experiencia concretos o condiciones no acreditables mediante pruebas objetivas de conocimiento), o el número de aspirantes u otras circunstancias, resulte más adecuado el de concurso. b) Un segundo grupo de leyes o bien no dicen nada o bien se limitan a reproducir el esquema del EBEP, sin establecer ningún orden o prelación entre los tres sistemas selectivos clásicos (la oposición, el concurso-oposición y el concurso de méritos). c) Un tercer grupo de leyes determina que la selección del personal laboral fijo se realizará por el sistema de concurso, salvo cuando por la naturaleza de las tareas a realizar o por el número de aspirantes resulte más adecuado el de concurso-oposición o el de oposición.

La selección de personal laboral fijo de nuevo ingreso de las Entidades Locales se hará por concurso, concurso-oposición u oposición libre, teniendo en cuenta las condiciones que requiera la naturaleza de los puestos de trabajo a desempeñar de conformidad con las bases aprobadas por el Pleno de la Corporación (arts. 91 y 103 Ley 7/1985 LBRL, 177.1 TRRL y DA 2.ª RD 896/1991, de 7 de junio).

Aunque el sistema de concurso de méritos está expresamente contemplado como sistema de selección ordinario del personal laboral fijo, la valoración de los méritos, especialmente de la experiencia previa debe ser proporcionada y no arbitraria[190].

### 3. *Los procesos de selección basados en un concurso-oposición*

La finalidad de consolidar el empleo público temporal «*no puede considerarse «a priori» constitucionalmente ilegítima, ya que pretende conseguir estabilidad en el empleo para quienes llevan un período más o menos prolongado de tiempo desempeñando satisfactoriamente las tareas encomendadas, ni por tanto lo será tampoco la previsión de valorar en la fase de concurso los servicios prestados como experiencia previa del personal afectado*»[191]. De este modo, la valoración como mérito de la antigüedad o experiencia previa «*no puede estimarse, pues, como una medida desproporcionada, arbitraria o irrazonable con relación a esa finalidad de consolidación del empleo temporal y, aunque efectivamente establece una desigualdad, ésta viene impuesta en atención a un interés público legítimo y no responde al propósito de excluir a nadie de la posibilidad efectiva de acceso a la función pública*». Además, la alta tasa de temporalidad es un lastre para el buen funcionamiento de las Administraciones Públicas[192]. Más no cabe invocar la consolidación de empleo temporal que se considera constitucionalmente legítima para justificar excepciones a la igualdad en el acceso a los cargos públicos del art. 23.2 de la CE «*cuando no se constata la vigencia y continuidad de ese empleo temporal a cuya necesaria consolidación se apela*»[193].

En este sentido, los arts. 19.Uno.6 de la Ley 3/2017, de 27 de junio, de Presupuestos Generales del Estado para el año 2017, y 19.Uno.9 de la Ley 6/2018, de 3 de julio, de Presupuestos Generales del Estado para

---

[190]   Cfr. las SSTSJ de las Islas Canarias (CA) de 18 de diciembre de 2000 (Rec. 342/1998) y de Andalucía (CA) de 20 de junio de 2001 (Rec. 109/2000).

[191]   STC 107/2003, de 2 de junio. En el mismo sentido, la STC 11/1996, de 29 de enero.

[192]   Cfr. el Informe 3/2004 del Consejo Económico y Social sobre «La temporalidad en el empleo en el sector público».

[193]   STC 86/2016, de 28 de abril.

el año 2018, pusieron en marcha un macroproceso de estabilización de empleo temporal[194].

Con todo, el legislador contempló dos modalidades de estabilización o de consolidación de empleo temporal en función de las fechas en que se haya accedido al empleo público temporal, a saber[195]:

a) Los procesos de estabilización de las plazas ocupadas de forma temporal e ininterrumpidamente al menos en los tres años anteriores al 31 de diciembre de 2016 o al 31 de diciembre de 2017, tramitados en los términos previstos en los arts. 19.Uno.6 de la Ley 3/2017 y 19.Uno.9 de la Ley 6/2018. El legislador no se refiere a personal temporal o interino que tenga tres o más años de vínculo a fecha de 31 de diciembre de 2016 o de 2017, sino a «plazas» que hayan estado ocupadas de forma temporal durante estos años, como mínimo, por lo que, en principio, es indiferente que las plazas hayan estado cubiertas por una o más personas consecutivas[196]. Las ofertas de empleo que articulasen estos procesos de estabilización, debieron aprobarse y publicarse en los respectivos Diarios Oficiales en los ejercicios 2017 a 2019 o 2018 a 2020, respectivamente.

b) Los procesos de estabilización de las plazas desempeñadas interina o temporalmente con anterioridad al 1 de enero de 2005,

---

[194] Cfr. la Resolución de 22 de marzo de 2018, de la Secretaría de Estado de Función Pública, por la que se publica el II Acuerdo Gobierno-Sindicatos para la mejora del empleo público y las condiciones de trabajo (BOE 26 de marzo de 2018). Sobre la aplicación en estos procedimientos de la reserva para personas con discapacidad, véase la STSJ de Galicia (CA) de 2 de octubre de 2019 (Rec. 54/2018).

[195] Por todos, ROQUETA BUJ., «Las bases de las convocatorias de estabilización. Sistemas selectivos, méritos, pruebas y notas de corte. Límites y posibilidades», Federació de Municipis de Catalunya, 2019, Barcelona (http://formacio.fmc.cat/09/fitxers/publicacions/2019/SRC%20A4%202019.pdf); y ROQUETA BUJ, R., «Los procesos de estabilización del empleo temporal en las Administraciones Públicas», *Revista vLex de Derecho Administrativo*, núm. 1, 2020 (https://libros-revistas-derecho.vlex.es/vid/procesos-estabilizacion-empleo-temporal-84032372).

[196] BOLTAINA BOSCH, X., «Los procesos selectivos «blandos» y sus efectos sobre la profesionalización del empleo público», *Revista Vasca de Gestión de Personas y Organizaciones Públicas*, núm. Extra 2, 2018, pág. 152.

tramitados conforme a lo dispuesto en el párrafo séptimo del art. 19.Uno.6 de la Ley 3/2017 y en la DT 4.ª del EBEP. La interpretación, tanto literal como finalista de la norma, no deja lugar a dudas: se puede hacer una convocatoria especial o extraordinaria para cubrir las plazas de carácter estructural y dotadas presupuestariamente que estén ocupadas por personal interino o temporal con anterioridad a 1 de enero de 2005 y, obviamente, que sigan ocupadas por ese mismo personal interino o temporal en el momento de dicha convocatoria especial. El cumplimiento del doble requisito —ocupación de esa plaza con carácter temporal o interino con anterioridad a 1-1-2005 y «continuar» ocupando esa misma plaza y con ese mismo carácter en el momento de la convocatoria especial— solamente es posible si se trata de la misma persona: la persona que tiene derecho a que se le reserve el derecho a gozar, por una sola vez y respecto a esa plaza, del proceso selectivo extraordinario en cuestión[197]. Las ofertas de empleo que articulasen estos procesos de estabilización, debieron aprobarse y publicarse en los respectivos Diarios Oficiales en los ejercicios 2017 a 2019.

Pues bien, la DT 4.ª del EBEP fija unas reglas particulares en relación con los procesos selectivos que favorecen la posición de los empleados temporales. En cambio, en los procesos de estabilización de empleo temporal articulados al amparo de los arts. 19.Uno.6 de la Ley 3/2017 y 19.Uno.9 de la Ley 6/2018 han de seguirse las reglas generales que rigen el acceso al empleo público. De hecho, estos preceptos han rehuido del

---

[197] En este sentido, la STSJ de Madrid (CA) de 16 de noviembre de 2017 (Rec. 1098/2017) afirma lo siguiente: «En el presente supuesto, la Sala coincide con el Juez a quo en que no ha quedado probada la existencia de los dos descritos requisitos; prueba que incumbía desde luego a la Corporación apelante, dado el carácter extraordinario del proceso que nos ocupa; y ello porque si bien la plaza de Agente de Empleo y Desarrollo Local, en algunos años desde el 2001 fue ocupada temporalmente por la adjudicataria, es lo cierto que no lo ha sido de forma ininterrumpida porque en ocasiones fue contratada como «auxiliar administrativo» y en otras ocasiones en cualidad de «Agente de Empleo y Desarrollo Local» y en otros años como ambas cosas que no son desde luego lo mismo, según la certificación expedida por el Secretario consistorial y que consta en las actuaciones».

término «consolidación de empleo temporal», expresión que denota un procedimiento favorecedor de los empleados públicos temporales, y en su lugar alude a los procedimientos de «estabilización de empleo temporal» que tienen por objeto sustituir los puestos de trabajo ocupados por personal temporal por otros de carácter estable mediante la superación del correspondiente proceso selectivo en el que se garantizan los principios de igualdad, mérito y capacidad en el acceso al empleo público, se haya prestado servicios efectivos, o no, en la Administración convocante y, al mismo tiempo, sellar «pro futuro» los accesos irregulares de empleo temporal; es decir, estabilizar no tanto la situación de los empleados públicos temporales sino de las plantillas.

Esta diferencia de régimen jurídico no vulnera los principios de igualdad y no discriminación pues tiene apoyo normativo con rango legal y obedece a supuestos fácticos y jurídicos que justifican la distinción que se efectúa por cuanto que la situación de precariedad del personal que accedió al empleo público temporal con anterioridad al 1 de enero de 2005 se ha prolongado ya más de una década.

En principio, la LPGE para el 2021 se limita a recoger la ampliación excepcional del plazo previsto en las disposiciones adicionales vigésima novena, trigésima y trigésima primera de la Ley 6/2018, de 3 de julio, de Presupuestos Generales del Estado para el año 2018 para la autorización y publicación de los procesos de estabilización de empleo temporal. En este sentido, la DT 4.ª de dicha disposición legal establece que «con carácter excepcional, se amplía hasta el 31 de diciembre de 2021 el plazo para aprobar y publicar los procesos de estabilización de empleo temporal a que se refieren las disposiciones adicionales vigésima novena, trigésima y trigésima primera de la Ley 6/2018, de 3 de julio, de Presupuestos Generales del Estado para el año 2018» y que «en los demás extremos estos procesos se atenderán a los requisitos y condiciones establecidos en dicha disposición adicional»[198].

---

[198]  Con carácter excepcional, la habilitación temporal para la ejecución de la Oferta de Empleo Público, o instrumento similar de las Administraciones Públicas y de los procesos de estabilización de empleo temporal previstos en los arts. 19.Uno.6 de la Ley 3/2017 y 19.Uno.9 de la Ley 6/2018, mediante la publicación de las correspondientes convocatorias de procesos selectivos regulada en el art. 70.1 del EBEP, «cuyo vencimiento se produzca en el ejercicio 2020, se entenderá prorroga-

Sin embargo, el art. 2 del RD-l 14/2021 prevé procesos de estabilización de empleo temporal adicionales como medida complementaria inmediata para paliar la situación existente.

El régimen jurídico de estos procesos de estabilización temporal viene a ser el siguiente (art. 2 RD-l 14/2021)[199]:

1.º) Adicionalmente a lo establecido en los arts. 19.uno.6 de la LPGE/2017, y 19.uno.9 de la LPGE/2018, se autoriza «*una tasa adicional para la estabilización de empleo temporal que incluirá las plazas de naturaleza estructural que, estén o no dentro de las relaciones de puestos de trabajo, plantillas u otra forma de organización de recursos humanos que estén contempladas en las distintas Administraciones Públicas y estando dotadas presupuestariamente, hayan estado ocupadas de forma temporal e ininterrumpidamente al menos en los tres años anteriores a 31 de diciembre de 2020*» (apartado 1).

2.º) Las ofertas de empleo que articulen estos procesos de estabilización, así como los nuevos procesos de estabilización, deberán aprobarse

---

da durante el ejercicio 2021» (art. 11.1 Real Decreto-ley 23/2020, de 23 de junio). Asimismo, se amplía hasta el 31 de diciembre de 2021 el plazo para aprobar y publicar en los respectivos Diarios Oficiales las ofertas de empleo público que articulen los procesos de estabilización de empleo temporal a los que se refiere el apartado anterior y en los demás extremos estos procesos se atenderán a los requisitos y condiciones establecidos en cada una de las citadas Leyes de Presupuestos, según corresponda (art. 11.2 Real Decreto-ley 23/2020). Por su parte, la DT 1.ª del RD-l 14/2021 dispone que los procesos selectivos para la cobertura de plazas incluidas en las ofertas de empleo público aprobadas en el marco de los procesos de estabilización de empleo temporal previstos en los arts. 19.uno.6 de la LPGE/2017 y 19.uno.9 de la LPGE/2018, cuya convocatoria hubiere sido publicada en los respectivos diarios oficiales con anterioridad a la fecha de entrada en vigor del presente real decreto-ley, seguirán ejecutándose con arreglo a las previsiones de las respectivas convocatorias y que la resolución de estos procesos selectivos deberá finalizar antes del 31 de diciembre de 2024.

[199]     Es previsible que durante la tramitación como proyecto de ley del RD-l 14/2021 se introduzcan cambios en la regulación de los procesos de consolidación o de estabilización de empleo temporal, pero no sabemos cuáles. Lo que está generando una gran inseguridad jurídica —y seguramente falsas expectativas-, lo que resulta especialmente criticable a la vista de los plazos perentorios que se establecen en el art. 2.2 del RD-l 14/2021.

y publicarse en los respectivos diarios oficiales antes de 31 de diciembre de 2021 y serán coordinados por las Administraciones Públicas competentes; la publicación de las convocatorias de los procesos selectivos para la cobertura de las plazas incluidas en las ofertas de empleo público deberá producirse antes de 31 de diciembre de 2022; y, en fin, la resolución de estos procesos selectivos deberá finalizar antes de 31 de diciembre de 2024 (apartado 2).

3.º) La tasa de cobertura temporal de las plazas incursas en los procesos de estabilización deberá de situarse por debajo del 8% de las plazas estructurales (apartado 3).

4.º) La articulación de estos procesos selectivos, en todo caso, garantizará el cumplimiento de los principios de libre concurrencia, igualdad, mérito, capacidad y publicidad (apartado 4). Dicha articulación podrá ser objeto de negociación en cada uno de los ámbitos territoriales de la Administración General del Estado, Comunidades Autónomas y Entidades Locales, pudiendo articularse medidas que posibiliten una coordinación entre las diferentes Administraciones en el desarrollo de los mismos en el seno de la Comisión de Coordinación del Empleo Público.

5.º) Sin perjuicio de lo establecido en su caso en la normativa propia de función pública de cada Administración o la normativa específica, el sistema de selección será el de concurso-oposición (apartado cuarto)[200].

---

[200] La DA 1.ª del RD-l 14/2021 prevé las siguientes medidas específica para el ámbito local:

*«1. Los municipios, excepto los de gran población previstos en el título X de la Ley 7/1985, de 2 de abril, reguladora de las Bases del Régimen Local, podrán encomendar la gestión material de la selección de su personal funcionario de carrera o laboral fijo a las diputaciones provinciales, cabildos, consejos insulares, entes supramunicipales u órganos equivalentes en las comunidades autónomas uniprovinciales.*

*Los municipios podrán, también, encomendar en los mismos términos la selección del personal funcionario interino y personal laboral temporal.*

*2. Finalizado el proceso selectivo, la autoridad competente de la entidad local nombrará o contratará, según proceda, a los candidatos que hayan superado el proceso selectivo.*

*3. Los procesos de estabilización de empleo temporal en el ámbito local se regirán por lo dispuesto en el artículo 2. No serán de aplicación a estos procesos lo dispuesto en los artículos 8 y 9 del Real Decreto 896/1991, de 7 de junio, por el que se establecen las reglas*

De este modo, se impone el sistema de concurso-oposición, pero no se cierra la posibilidad de que las Administraciones Públicas opten por el concurso de méritos sí lo permite su normativa específica. En fin, la fase de concurso tendrá una valoración «*de un cuarenta por ciento de la puntuación total, en la que se tendrá en cuenta mayoritariamente la experiencia en el cuerpo, escala, categoría o equivalente de que se trate en el marco de la negociación colectiva establecida en el artículo 37.1.c) del texto refundido de la Ley del Estatuto Básico del Empleado Público*» (apartado cuarto). Y, en fin, en el supuesto de que en la normativa específica sectorial o de cada Administración así se hubiera previsto, los mecanismos de movilidad o de promoción interna previos de cobertura de plazas serán compatibles con los procesos de estabilización (apartado cuarto).

6.º) De la resolución de estos procesos no podrá derivarse, en ningún caso, incremento de gasto ni de efectivos, debiendo ofertarse en estos procesos, necesariamente, plazas de carácter estructural desempeñadas por personal con vinculación temporal (apartado 5). Por ello, tienen que responder a necesidades permanentes y estructurales y estar dotadas presupuestariamente. Circunstancias que no se dan ni respecto de los contratados laborales temporales en la modalidad de obra o servicio determinado con cargo a capítulo sexto sin cargo a puesto, ni respecto de los funcionarios interinos en las modalidades de ejecución de programas de carácter temporal o acumulación de tareas que, según la normativa, van sin cargo a puesto, bastando que solamente exista crédito presupuestario.

7.º) El personal funcionario interino o el personal laboral temporal afectado por los procesos de estabilización de empleo temporal que, estando en activo como tal y habiendo participado en el proceso selectivo de estabilización, viera finalizada su relación con la Administración por la no superación del proceso selectivo tendrá derecho a «*una compensación económica*» equivalente «*a veinte días de retribuciones fijas por año de servicio, prorrateándose por meses los periodos de tiempo inferiores a un año, hasta un máximo de doce mensualidade*s» (apartado 6). En el caso del

---

*básicas y los programas mínimos a que debe ajustarse el procedimiento de selección de los funcionarios de Administración Local*».

personal laboral temporal, dicha compensación consistirá «*en la diferencia entre el máximo de veinte días de su salario fijo por año de servicio, con un máximo de doce mensualidades, y la indemnización que le correspondiera percibir por la extinción de su contrato, prorrateándose por meses los períodos de tiempo inferiores a un año*» y «*en caso de que la citada indemnización fuere reconocida en vía judicial, se procederá a la compensación de cantidades*» —lo que en este caso no tiene ningún sentido, ya que no estamos ni ante un despido por causas objetivas o por causas económicas, técnicas, organizativas o de producción ni ante un despido disciplinario que deba ser declarado improcedente y que, por tanto, genere en favor del personal laboral temporal una indemnización superior que deba ser objeto de compensación—.

Además, las convocatorias de estabilización que se publiquen podrán prever para aquellas personas que no superen el proceso selectivo, su inclusión en bolsas de interinos específicas o su integración en bolsas ya existentes (DA 4.ª RD-l 14/2021). En dichas bolsas se integrarán aquellos candidatos que, habiendo participado en el proceso selectivo correspondiente, y no habiendo superado éste, sí hayan obtenido la puntuación que la convocatoria considere suficiente.

8.º) Con el fin de permitir el seguimiento de la oferta, las Administraciones Públicas deberán certificar al Ministerio de Hacienda, a través de la Secretaría de Estado de Presupuestos y Gastos, el número de plazas ocupadas de forma temporal existente en cada uno de los ámbitos afectados (apartado 7).

A continuación, vamos a ver cómo se pueden valorar los méritos en las diferentes procesos de estabilización o de consolidación de empleo temporal señalados.

### 3.1. La valoración de los méritos en los procesos de estabilización de empleo temporal previstos en los arts. 19.Uno.6 de la LPGE/2017 y 19.Uno.9 de la LPGE/2018

Las Administraciones Públicas podrán disponer en determinados sectores de una tasa adicional para estabilización de empleo temporal de las plazas que, estando dotadas presupuestariamente, hayan estado ocupadas de forma temporal e ininterrumpidamente al menos en los tres años anteriores a 31 de diciembre de 2016 o al 31 de diciembre de 2017[201]. De conformidad con los arts. 19.Uno.6 de la Ley 3/2017 y 19.Uno.9 de la Ley 6/2018, «*la articulación de estos procesos selectivos…, en todo caso, garantizará el cumplimiento de los principios de libre concurrencia, igualdad, mérito, capacidad y publicidad*». De este modo, las bases de las convocatorias de consolidación de empleo temporal que se dicten al amparo de las LPGE para los años 2017 y 2018 deben ajustarse a las reglas generales que rigen el acceso al empleo público en régimen funcionarial y laboral.

En cuanto a los límites de la valoración de la experiencia profesional, deben realizarse algunas puntualizaciones. Como señalan las SSTC 137/1986, de 6 de noviembre, y 27/2012, de 1 de marzo, la valoración como mérito de la experiencia profesional es perfectamente válida desde el punto de vista constitucional. Ciertamente, «la consideración de los servicios prestados no es ajena al concepto de mérito y capacidad, pues el tiempo efectivo de servicios puede reflejar la aptitud o capacidad para desarrollar una función o empleo público y, suponer, además, en ese desempeño, unos méritos que pueden ser reconocidos y valorados»[202].

Además, el Tribunal Constitucional, aunque ha afirmado que no plantea problema de igualdad la consideración como mérito de los servicios prestados, también ha advertido que es «la relevancia cuantitativa» que las bases de la convocatoria den a ese mérito concreto lo que debe analizarse en supuestos de aparente desproporcionalidad. En este sentido se consideró en la STC 107/2003, de 2 de junio, que la «conexión entre acceso en condiciones de igualdad, por un lado, y el acceso de acuerdo con los principios de mérito y capacidad, por otro, nos ha llevado también a controlar, para evitar una «*diferencia de trato irracional o arbitraria entre los concursantes*» *(STC 60/1994, de 28 de febrero), la valoración dada a algún mérito en concreto, cual es, particularmente y a los efectos que interesan en el presente caso, el relativo a la toma en consideración de la*

---

201     Véase la DA 23.ª de la LPGE para el 2021. Cfr. las SSTS (CA) de 25 de septiembre de 2017 (Rec. 363/2016) y 28 de septiembre de 2020 (Rec. 384/2018).

202     SSTC 67/1989, de 18 de abril, y 107/2003, de 2 de junio.

*previa prestación de servicios a la Administración. Esta última circunstancia, en efecto, si bien se ha reconocido que puede ser tomada en consideración para evaluar la «aptitud o capacidad» [SSTC 67/1989, de 18 de abril, y 185/1994, de 20 de junio] del aspirante, ni puede llegar a convertirse en un requisito que excluya la posibilidad de concurrencia de terceros, ni tener una dimensión cuantitativa que rebase el «límite de lo tolerable» [SSTC 67/1989, de 18 de abril, 185/1994, de 20 de junio, y 73/1998, de 31 de marzo]».*

El art. 61.3 del EBEP recoge la interpretación del Tribunal Constitucional sobre la valoración de méritos y el principio de igualdad de trato en el acceso al empleo público, especialmente surgida en relación con el mérito de la antigüedad o previa prestación de servicios. En este sentido, dispone que *«los procesos selectivos que incluyan, además de las preceptivas pruebas de capacidad, la valoración de méritos de los aspirantes, sólo podrán otorgar a dicha valoración una puntuación proporcionada que no determinará, en ningún caso, por sí misma el resultado del proceso selectivo».* De esta manera, se excluye la transformación fraudulenta en concurso del sistema de concurso-oposición, al valorar de manera desproporcionada los méritos.

Y así, siguiendo la doctrina constitucional sobre la valoración del mérito de la antigüedad o previa prestación de servicios, hay que distinguir los siguientes supuestos de hecho:

1.º) A este respecto, hay que distinguir claramente entre los criterios de mérito y capacidad que proclama el artículo 103 de la Constitución como principios inexcusables en todo sistema de acceso a las funciones públicas, pues el mérito guarda relación con la trayectoria académica y profesional desarrollada por el aspirante con anterioridad al proceso selectivo, mientras que la capacidad concierne a la preparación, conocimientos y destrezas demostradas en las pruebas, teóricas o prácticas, que han de ser realizadas dentro de dicho proceso selectivo.

Los procesos de consolidación autorizados por la ley para reducir el porcentaje de interinos respetarán el esquema de la misma cuando operen en la fase de concurso ponderando en esta la experiencia con el carácter preferente dispuesto por el legislador (por ser dicha experiencia el rasgo más significativo o definitorio de dicho personal interino), pero no se ajustarán a dicho régimen legal cuando la fase de oposición sea utilizada para ponderar en ella la experiencia y no los conocimientos y destrezas demostrados por el aspirante en las pruebas selectivas correspondientes a esta fase[203]. Por ello, el sistema llamado «mochila» en cuya virtud los puntos obtenidos en la fase de concurso (incluyendo los que se conceden por el tiempo de servicios prestados en régimen temporal en la Administración Pública) pueden computarse también para superar los ejercicios de la fase de oposición, supone una diferencia no razonable y arbitraria de trato entre quienes concurren a la oposición habiendo prestado previamente servicios como contratados y los demás opositores. En efecto, como subraya la STC 67/1989, de 18 de abril, *«para la aprobación de cada una de las tres pruebas en que consiste la fase de oposición exige en realidad a unos opositores el doble de conocimientos que a otros, siendo la razón de la diferencia el mero hecho de haber prestado servicios durante breve tiempo a la Comunidad Autónoma de Extremadura»* y *«esta diferencia sensible de niveles de exigencia supone que los aspirantes «de fuera» vean reducida al mínimo su posibilidad de acceso a la función pública, exigiéndoseles un nivel de conocimientos elevado, mientras que los opositores, que ya prestan servicio en la Administración Autonómica, pueden aprobar los correspondientes ejercicios con notas muy inferiores y que no garantizan la suficiencia de sus conocimientos».* De este modo, el dato relevante para aprobar la fase de oposición es el hecho, ya valorado como mérito en la fase de concurso, de haber prestado servicios anteriormente a la Comunidad Autónoma, con lo que se consigue *«el mismo efecto práctico de concesión de ventajas y privilegios y de restricción de competencia «externa» que perseguía la práctica de pruebas restringidas para el acceso a la función pública».* En definitiva, esta desigualdad de trato, en cuanto al nivel de exigencia entre unos y otros opositores por la sola razón de la existencia o no de un período previo de servicios administrativos, *«ha de ser estimada como arbitraria e incompatible con los principios de mérito y capacidad»* y, por ello, ha de declararse que es contraria al art. 23.2 de la Constitución y que

---

[203]     STS (CA) de 17 de julio de 2013 (Rec. 245/2012). No obstante, la STSJ de Murcia (CA) de 5 de octubre de 2020 (Rec. 243/2019) admite la posibilidad de eximir de realizar la segunda parte del ejercicio de la fase de oposición, a interinos que reúnan determinados requisitos y en determinadas circunstancias.

lesiona el derecho a la igualdad en el acceso a las funciones públicas de los opositores libres[204].

Tampoco se puede eximir a los interinos de alguna o algunas de las pruebas en atención a la capacidad y la formación acreditadas en la plaza que pretenden consolidar ni sustituir, sólo para ellos, la prueba consistente en la exposición ante el tribunal calificador de una unidad didáctica, extraída al azar, por la presentación de un informe por los interesados, que valore sus conocimientos sobre la unidad didáctica[205].

2.º) En los procesos de concurso-oposición, si la fase de concurso se celebra en primer lugar, no puede tener carácter eliminatorio[206]. Ciertamente, los procesos de concurso-oposición en los que la fase de concurso tiene carácter eliminatorio pueden transformarse muy fácilmente en un mero concurso. En este sentido, hay que traer a colación la doctrina sentada por la STC 27/2012, de 1 de marzo, a propósito de un supuesto de hecho en el que la experiencia profesional —dependiendo de dónde se haya adquirido— vale un máximo de 9,5 puntos, mientras que todos los demás méritos valorables, aun en su puntuación máxima posible, solamente alcanzan 5 puntos; es decir, el valor del mérito «experiencia profesional» tiene, prácticamente, el doble de valor que la suma de todos los demás méritos, con la circunstancia, no menor, de que la fase de concurso tiene carácter eliminatorio, siendo relevante además que es necesario obtener para superarla 4 puntos. Pues bien, a juicio del Tribunal Constitucional, en el presente caso, la posibilidad de obtener 9,5 puntos por la experiencia profesional representa un porcentaje claramente superior al 45 por 100 de la nota total de la fase de concurso: 14,5 puntos. Estas circunstancias «*suponen primar sensiblemente a los participantes*

---

[204]  SSTC 67/1989, de 18 de abril, y 93/1995, de 19 de junio. En esta línea, el apartado segundo del «Acuerdo para la mejora del empleo público» de 29 de marzo de 2017 establece que el tiempo de servicios prestados a la Administración podrá ser objeto de valoración únicamente en la fase de concurso.

[205]  STS (CA) de 17 de julio de 2013 (Rec. 245/2012).

[206]  Cfr. los «Criterios comunes para la aplicación del proceso de estabilización derivado de la Ley de Presupuestos Generales del Estado para 2017» de la Secretaría de Estado de Función Pública del Ministerio de Ciencia y Función Pública de febrero de 2018.

*que contaran con servicios prestados en la Administración convocante, que se presenta desproporcionado, más aun cuando la fase de concurso se establece como eliminatoria y existe una nota de corte que dificulta en exceso que los participantes sin experiencia profesional puedan, siquiera, acceder a la fase de oposición, nota de corte que no existía en los supuestos antes señalados y resueltos en las SSTC 67/1989, de 18 de abril y 83/2000, de 27 de marzo, en las que, como veíamos, se ponderaba la posibilidad de que la ventaja con la que contaban los interinos se pudiera compensar con la posibilidad de participar en la fase de oposición, aun con la necesidad de mostrar, por parte los participantes sin experiencia profesional, mayores conocimientos».* Y, por ello, el Alto Tribunal concluye que *«la valoración de la experiencia profesional en la norma que estamos analizando, implica un beneficio desproporcionado a unos participantes respecto de otros».*

3.º) La situación es diferente cuando los participantes sin experiencia previa, al menos, cuentan con la posibilidad de equilibrar la puntuación en la fase de oposición, para cuyo acceso no se establece nota de corte. En este caso, el Tribunal Constitucional considera que «la puntuación otorgada a quienes poseían servicios previos computables, aunque es cierto que otorga una sustancial ventaja a estos aspirantes (en mayor grado cuantos más años de servicios prestados acreditasen, con el máximo indicado), no excluye de la competición a quienes, como la recurrente, carecen de dicho mérito, pese a que imponga a estos opositores *«por libre», para situarse a igual nivel de puntuación que los opositores interinos, un nivel de conocimientos superior, pero sin que ello signifique el establecimiento de un obstáculo insalvable que impida el acceso a la función pública de quienes no han prestado servicios previamente en la Administración de la Seguridad Social»*[207]. Y así, por lo general, se estima que la valoración del mérito del tiempo de servicios se encuentra en el límite de lo tolerable cuando la máxima puntuación de los servicios previos oscila entre un 27,58% y un el 32% de la puntuación máxima que puede lograrse en total en el proceso selectivo, correspondiendo el 60% a la fase de oposición y el 40% a la fase de concurso[208].

---

[207]   SSTC 83/2000, de 27 de marzo, y 107/2003, de 2 de junio.
[208]   Por ejemplo, SSTC 67/1989, de 18 de abril; 185/1994, de 20 de junio; 228/1994, de 18 de julio; 229/1994, de 18 de julio; 11/1996, de 29 de enero; 83/2000, de 27

No obstante, como pone de manifiesto el Tribunal Constitucional, aun habiendo alcanzado la conclusión de que la valoración como mérito único de los servicios prestados o la relevancia cuantitativa que las bases de la convocatoria hayan dado a este mérito concreto debe considerarse desproporcionada a favor de unos participantes respecto de otros, «*este hecho, por sí mismo no conduce a apreciar una lesión del art. 23.2 CE, sino que, como antes hemos señalado, en algunas circunstancias excepcionales se puede justificar la aplicación de criterios como los analizados en el presente proceso*»[209]. A estos efectos, se valoran criterios similares a los que se han examinado en relación con la admisibilidad de los procesos de selección restringidos, a saber[210]: «*En primer lugar, justificación de la excepcionalidad de la medida a adoptar, fundamentada exclusivamente en la singular, puntual y transitoria necesidad de tener que poner en funcionamiento una nueva forma de organización de las Administraciones autonómicas resultante de la asunción de competencias que antes correspondían al Estado. En segundo término, la limitación de acudir por una sola vez a estos procedimientos excepcionales. Y, finalmente, la reserva de Ley, que exige la aprobación mediante norma con este rango legal de la cobertura necesaria para la convocatoria de dichos procesos selectivos*».

Es razonable que así sea. Como se advierte en la ya citada STC 12/1999, de 11 de febrero, si en determinados casos el legislador puede recurrir incluso a procesos selectivos de carácter restringido, parece lógico pensar que, en tales supuestos, y con mayor razón, será posible

---

de marzo; y 107/2003, de 2 de junio; SSTS (CA) de 14 de octubre de 2009 (Rec. 1262/2006), o 14 de febrero de 2011 (Rec. 3835/2008); SAN (CA) 17 de octubre de 2006 (Rec. 384/2004) y 19 de abril de 2013 (Rec. 335/2011); y las SSTSJ de la Comunidad Valenciana (CA) de 4 de octubre de 2007 (Rec. 920/2005), de Castilla y León (CA) de 30 de noviembre de 2007 (Rec. 2497/2003), de la Comunidad Valenciana (CA) de 10 de abril de 2007 (Rec. 462/2005) y de Castilla y León (CA) de 16 de octubre de 2009 (Rec. 565/2006). Cfr. la STSJ de Castilla y León (CA) de 17 de junio de 2015 (Rec. 1302/2013), 18 de junio de 2015 (Rec.1301/2013), 26 de junio de 2015 (Rec. 1300/2013), 10 de julio de 2015 (Recs. 1299/2013 y 1229/2013), 13 de julio de 2015 (Rec. 1859/2006), 23 de octubre de 2015 (Recs. 1125/2013 y 1116/2013) y 5 de abril de 2018 (Rec. 143/2017).

[209] SSTC 67/1989, de 18 de abril, 12/1999, de 11 de febrero, y 27/2012 de 1 de marzo.

[210] STC 27/2012, de 1 de marzo.

recurrir a otras medidas excepcionales de menor entidad: utilización del concurso de méritos y elevada valoración de la experiencia profesional previa en la misma Administración.

4.º) Por último, hay que tener en cuenta las siguientes consideraciones en torno a la experiencia profesional, a saber[211]:

a) La experiencia profesional a valorar es la acreditada en el cuerpo/escala o categoría/grupo profesional al que se concursa [art. 55.2.e) EBEP]. Por ello, vulnera la legalidad y el principio constitucional de igualdad el que en la convocatoria de un proceso selectivo para la cobertura de plazas de un grupo o categoría profesional, se prime de manera desproporcionada —y con la consecuencia de hacerla determinante del resultado del proceso— la experiencia representada por el desempeño de un determinado puesto de trabajo[212].

---

[211]    Según el Informe de la Abogacía del Estado sobre cuestiones relativas a los procesos selectivos de estabilización de empleo temporal, una interpretación sistemática, amén de teleológica, de lo dispuesto en los arts. 18.Uno y 19.Uno de la LPGE 2017 y en la DT 4.ª del EBEP, lleva a concluir la posibilidad de valorar como mérito en aquellos procesos selectivos de estabilización de empleo temporal, no solo la experiencia o servicios prestados en las entidades del sector público calificadas como Administraciones Públicas, sino también los prestados en las entidades definidas como integrantes del sector público en el art. 18.Uno de la LPGE 2017, y por tanto incluyendo las sociedades mercantiles públicas, las entidades públicas empresariales, las fundaciones del sector público y los consorcios participados mayoritariamente por las Administraciones y Organismos que integran el sector público, así como los Órganos Constitucionales del Estado.
En otro orden de consideraciones, hay que indicar que admitir como mérito la simple prestación de servicios previos, computada de modo automático, sin evaluación alguna de esos servicios prestados, constituye un mérito de escasa calidad [FONDEVILA ANTOLÍN, J., «La selección de los empleados públicos tres años después de la entrada en vigor de la Ley 7/2007: reflexiones sobre algunas de las cuestiones más representativas en su aplicación», *Federación de Municipios de Cataluña*, 2010, pág. 46]. Sin embargo, de conformidad con el art. 20.3 del EBEP, la evaluación del desempeño sólo deberá tenerse en cuenta a efectos de la promoción en la carrera profesional horizontal, la carrera profesional vertical, fundamentalmente en lo referido a la provisión y el mantenimiento de los puestos de trabajo, así como en la determinación de una parte de las retribuciones complementarias, vinculadas a la productividad o al rendimiento, y en la formación.

[212]    STSJ de las Islas Canarias (CA) de 10 de mayo de 1999 (Rec. 1680/1998).

En el apartado experiencia profesional hay que valorar los servicios efectivamente prestados en el cuerpo/escala o categoría/grupo profesional al que se concursa[213] o en otros funcionalmente equivalentes a estos[214], con independencia de la categoría profesional con la que fueron nombrados o contratados los aspirantes[215]. Por lo demás, como subrayan las SSTS (CA) de 28 de mayo de 2019 (Rec. 90/2017) y 20 de mayo de 2020 (Rec. 6004/2017), no estando prevista en las bases la intervención de la Comisión Mixta de Consolidación ni justificada su condición de asesor especializado técnicamente, no tiene título alguno para intervenir por sí misma en el proceso selectivo, ni tampoco existe obligación por parte del tribunal calificador de acudir a ella. Además, aun en el supuesto de que estuviera prevista su intervención o de que el tribunal calificador decidiera por sí solicitarle asesoramiento, no habiendo disposición en sentido contrario, su informe no puede tener carácter vinculante. Por ello, el aspirante tiene derecho a servirse de cualquier medio de prueba admitido en Derecho, a fin de determinar que los servicios prestados lo han sido en categorías funcionalmente iguales a la que se concursa.

b) No se puede limitar la valoración de los servicios prestados como mérito en la fase de concurso en los procesos de consolidación de empleo temporal en relación únicamente con los aspirantes que tengan la condición de funcionarios interinos o contratados temporales en la fecha de finalización del plazo de presentación de solicitudes o la hubieran tenido en un período de tiempo inmediatamente anterior, ya que, de lo contrario, nos encontraríamos ante unas pruebas de las llamadas restringidas que hacen prácticamente imposible el acceso al empleo público a las personas que no ocupan las plazas ofertadas en las convocatorias de consolidación de empleo temporal[216]. De este modo, se produciría una desigualdad de trato en perjuicio de los aspirantes que hubieran supe-

---

[213]    Cfr. las SSTSJ de Andalucía (CA) de 21 de junio de 2010 (Rec. 1686/2005), 24 de septiembre de 2010 (Rec. 2141/2004), 25 de octubre de 2010 (Rec. 1376/2005) y 7 de diciembre de 2010 (Rec. 877/2005).

[214]    STS (CA) de 28 de mayo de 2019 (Rec. 90/2017) y STSJ de Castilla y León (CA) de 18 de febrero de 2020 (Rec. 1093/2018).

[215]    STS (CA) de 23 de diciembre de 2011 (Rec. 1961/2010).

[216]    STS (CA) de 23 de febrero de 2009 (Rec. 1521/2005).

rado la oposición y no tuvieran tal condición, carente de justificación razonable y, por ende, contraria al principio de igualdad constitucionalmente reconocido.

c) La experiencia profesional valorable no se puede circunscribir a la acreditada en la Administración convocante[217] ni se puede valorar de forma distinta según la Administración de procedencia, si el trabajo a desarrollar por los empleados públicos que se pretenden seleccionar no

---

[217] STS (CA) de 2 de abril de 2008 (Rec. 4538/2003); y SSTSJ de Castilla y León (CA) de 14 de julio de 2009 (Rec. 1807/2006) y de Madrid (CA) de 1 de octubre de 2010 (Rec. 478/2010). Sin embargo, la STS (CA) de 17 de septiembre de 2008 (Rec. 4598/2005) señala lo siguiente: *«A la vista de las actuaciones la casación debe ser desestimada, pues este Tribunal comparte en esencia las consideraciones vertidas por la sentencia recurrida, en las particularidades en que se hace referencia a los términos claros y concluyentes de la convocatoria y sus bases. Y es así porque ya en la Orden de Convocatoria, del 22 de abril de 2003, constaba que la misma se hacía para el ingreso en el cuerpo general auxiliar de la Administración del Estado, en el marco del proceso de consolidación de empleo temporal, en el ámbito del Ministerio de Justicia y sus Organismos Autónomos (base 1.1.). Y en la base 5.2.2. sobre valoración de méritos, se decía que la valoración de los servicios prestados como mérito en la fase de concurso únicamente se realizará si el aspirante tiene la condición de funcionario interino del grupo D del Ministerio de Justicia, o lo ha tenido en los últimos tres años anteriores a la fecha de finalización del plazo de presentación de solicitud; servicios que deben acreditarse necesariamente mediante certificación expedida por la Oficialía mayor del Ministerio de Justicia. De ahí que deba considerarse correcta la solución a que llegó la Administración y confirmó la sentencia del Tribunal Superior, acerca de que en estricta aplicación de las bases de la prueba selectiva, no había por qué valorar los méritos de las recurrentes, derivadas de su actuación como oficiales o auxiliares interinos en diversos órganos jurisdiccionales, dado que esta situación no es incluible dentro del concepto «funcionario interino del Grupo D, en el Ministerio de Justicia», pues en la normativa del tiempo de los hechos era fundado entender que el personal que prestaba servicios en los Juzgados y Tribunales, como oficial o auxiliar interino, no lo era del Ministerio de Justicia, cualquiera que fuera el alcance de la dependencia económica o de gestión, pero no de dirección funcional de dicho personal respecto del Ministerio citado. Corroboran lo dicho los términos claros de la convocatoria, estrictamente dirigidos a la consolidación de empleo temporal en el ámbito del Ministerio de Justicia y de sus Organismos Autónomos, que permite inferir que la mención que se hace de dicho Departamento Ministerial, lo es como parte de la Administración General del Estado, distinta de la Administración de Justicia en el restringido ámbito auxiliar en que actuaban las recurrentes, cuya actividad venía regulada por los arts. 454 sgs. LOPJ, en la redacción entonces vigente, y el RD 249/1996, de 16 de febrero, que reglamenta los Cuerpos funcionariales concernidos, siendo puramente supletoria la posible aplicación de la Ley 30/1984, de Medidas de Reforma de la Función Pública».*

difiere sustancialmente del prestado por los empleados de otras Administraciones Públicas y no existen circunstancias objetivas que justifiquen lo contrario[218]. En fin, diferenciar a los aspirantes en función de la

---

[218] STJCE de 23 de febrero de 1994, C-419/92 (Asunto Scholz contra Universidad de Cagliari); STC 281/1993, de 27 de septiembre; SSTS (CA) de 31 de mayo de 2005 (Rec. 6002/2001), 8 de junio de 2005 (Rec. 2295/2002), 27 de junio de 2008 (Rec. 1566/2004), 11 de octubre de 2010 (Rec. 1992/2007), 20 de octubre de 2010 (Rec. 1996/2007) y 27 de junio de 2011 (Rec. 4305/2010); y SSTSJ de Castilla-La Mancha (CA) de 8 de febrero de 2003 (Rec. 248/1999) y 16 de marzo de 2006 (Rec. 1742/1999), de Castilla y León (CA) de 30 de noviembre de 2007 (Rec. 2497/2003) y de la Comunidad Valenciana (CA) de 17 de julio de 2020 (Rec. 375/2018). En este sentido, se expresan también las SSTSJ de Andalucía (CA) de 8 de noviembre de 2002 (Rec. 201/2000) y 12 de marzo de 2004 (Rec. 1598/1999) en un supuesto en el que las bases de la convocatoria valoran la experiencia profesional, los cursos de formación, las titulaciones académicas, la superación de pruebas selectivas y la presentación de un trabajo memoria. En lo referente a la valoración de la experiencia profesional, se recoge en tres apartados. Se concede 0.4 puntos por mes completo de experiencia en puestos de trabajo adscritos a personal funcionario, incluidos en la Relación de Puestos de Trabajo correspondiente de la Administración General de la Junta de Andalucía, de contenido igual al de los que desempeñan los funcionarios de carrera de los Cuerpos y especialidades a que se opta y siempre que se hayan adquirido en el mismo Grupo al que se aspira. Se valora la mitad, esto es, 0.2 puntos por mes cuando la experiencia ha sido adquirida en puestos adscritos a personal funcionario en cualquier Administración Pública, de contenido igual al de los que desempeñan los funcionarios de carrera, de los Cuerpos y especialidades a que se opta y siempre que se haya, adquirido en el mismo Grupo al que se aspira. Por último, se valora únicamente con 0.1 puntos por cada mes de experiencia distinta de la contemplada en los supuestos anteriores de contenido igual al de los que desempeñen los funcionarios de carrera de los Cuerpos y especialidades a que se opta. La experiencia profesional representa el 45% de los méritos, no pudiéndose superar los 45 puntos y sólo se valoran como máximo 10 años de experiencia. Esto hace que únicamente puedan tener acceso a la máxima puntuación los funcionarios interinos de la Junta de Andalucía al poder obtener 4.8 puntos por año haciendo un total de 48 en los 10 años, pudiendo obtener los máximos previstos. Mientras que aquellos que hubieran obtenido su experiencia profesional en otras Administraciones Públicas, únicamente podrían obtener una puntuación de 24 en los diez años valorables, situándose pues en una clara inferioridad, que resulta aún mayor si los méritos se valoran por el último apartado, dado que sólo se podrían obtener 12 puntos como máximo. Se deduce que se prima el haber sido funcionarios de la Junta de Andalucía frente a la misma experiencia (idénticos requisitos de semejanza se exigen) obtenida en otra

Administración en la que han adquirido determinada experiencia y no a partir de la experiencia misma, con independencia de la Administración

Administración sin que exista fundamento lógico ni razonable que justifique el trato desigual a quien ha prestado sus servicios en la Junta de Andalucía frente a quien ha prestado idénticos servicios en otra Administración, dado que el trabajo a desarrollar por los funcionarios que se pretende seleccionar no difiere sustancialmente del prestado por los funcionarios de otras Administraciones. Asimismo, la STSJ de Andalucía (CA) de 26 de septiembre de 2019 (Rec. 468/2019) considera desproporcionada la valoración de los servicios prestados en la Administración convocante. En este sentido, subraya lo siguiente: «*Se advierte así que la diferencia es del triple respecto a la segunda valoración; no digamos respecto a los prestados en otras administraciones. De manera que de computarse un año (12 meses) de servicios prestados, estaríamos obteniendo una puntuación de 3,6 puntos, frente a 1,2 puntos, y 0,9 puntos, según donde se haya prestado dichos servicios. En el caso de un período de 10 años (que se dice sin convocatorias) los interinos que hubieran venido trabajando en la Universidad de Sevilla podrían obtener una puntuación de 36 puntos, frente a los 12 puntos, y 9 puntos, para quienes no hubieran prestado dichos servicios en la Universidad convocante. Esto es, solo con la experiencia podrían obtener 36 puntos (cuando el máximo es de 45 puntos). Dicho lo anterior, y en atención a lo expuesto que procede estimar en parte el recurso en cuanto a la puntuación que se otorga a las distintas fases de la convocatoria, resultando carente de justificación objetiva y razonable la desproporción de la valoración de los méritos con que se obtiene la puntuación que conforma la fase de concurso, lo que vulnera el principio de igualdad a la hora de acceder a la función pública en cuanto supone, si no su exclusión, si un verdadero obstáculo para quienes pretenden acceder desde fuera de la Administración convocante*». En cambio, la STSJ de Galicia (CA) de 18 de febrero de 2004 (Rec. 1388/2001) considera lógica y conforme al ordenamiento jurídico la mayor valoración de los prestados en esta Comunidad Autónoma, en cuanto que demuestran una mejor aptitud y conocimientos de la realidad propia de este país, lo cual resulta relevante para el ejercicio de las funciones propias de ingeniero técnico forestal en nuestra Comunidad Autónoma. Véanse también en este sentido las STSJ de Asturias (CA) de 25 de marzo de 2019 (Rec. 55/2019) y de Murcia (CA) de 5 de octubre de 2020 (Rec. 243/2019).

No obstante, según la STS (CA) de 13 de julio de 2004 (Rec. 6492/1999), aunque el sistema de valoración de méritos cuestionado prima de manera muy notable los servicios prestados en la Administración sanitaria de la Comunidad Autónoma frente a los que lo hayan sido en otras Administraciones o en otras partes del territorio nacional, concurren los tres requisitos que se exigen para que los procesos restringidos resulten conformes con los arts. 14 y 23.2 de la CE, a saber: a través de esta convocatoria pretende resolverse una situación singular que tiene su origen en la puesta en planta de la Administración sanitaria de Castilla y León; estos procesos selectivos se verifican «por una sola vez»; y, en fin, cuentan con cobertura legal.

Pública en la que se hubiera adquirido, no es un criterio razonable, compatible con el principio constitucional de igualdad establecido en el art. 14 de la Constitución Española del que el art. 23.2 del texto constitucional no es sino, de acuerdo con reiterada doctrina constitucional, una concreción específica en relación con el ámbito de los cargos y funciones públicas[219].

d) Los servicios prestados por los aspirantes en las Administraciones Públicas son valorables en los procesos de consolidación de empleo temporal con independencia del concreto régimen de prestación de servicios, ya sea funcionarial o laboral[220].

En cambio, la STS (CA) de 22 de octubre de 2014 (Rec. 3500/2013) señala que las exigencias de igualdad, mérito y capacidad que para el acceso a la función pública se contienen en los arts. 23.2 y 103.3 de la CE «*resultan incumplidas cuando se valora la experiencia en un puesto cuya obtención es resultado de un nombramiento totalmente libre y, por ello, encarna un mérito cuya adquisición no estuvo al alcance de todos los aspirantes*»[221].

---

[219]   STC 281/1993, de 27 de septiembre.

[220]   STSJ de Castilla y León (CA) de 7 de enero de 2016 (Rec. 1001/2014).

[221]   En este sentido, la STSJ de Andalucía (CA) de 23 de febrero de 2012 (Rec. 607/2011) excluye del proceso de consolidación de empleo temporal en plazas de médicos de urgencias en atención primaria los servicios prestados como coordinador de equipos de atención primaria, por ser un puesto de libre designación. En cambio, la STSJ de Castilla y León (CA) de 14 de febrero de 2019 (Rec. 620/2017) se expresa en los siguientes términos: «*Es de señalar que las sentencias que cita la parte codemandada sobre la naturaleza de la comisión de servicios (STSJ Madrid 629/2016, de 16 de diciembre) y sobre las consecuencias de la experiencia obtenida ilícitamente (STS de 9 de diciembre de 2014, rec. 114/2011) no impiden la conclusión a la que se ha llegado porque, uno, ciertamente la comisión de servicios tiene las características que se especifican en la primera sentencia, pero ello no es óbice para que se pueda mantener que el que presta servicios en comisión de servicios en un puesto de trabajo adquiere la misma experiencia que el que los presta en virtud de otro título; y, dos, la segunda sentencia, se refiere a que no debe computarse la experiencia de quien ha prestado servicios en un puesto de trabajo para el que carecía de titulación, que no es el caso. Es cierto que una prolongación excesiva de las comisiones de servicio constituye una anomalía que genera disfunciones en el funcionamiento correcto de la Administración, pero en el supuesto enjuiciado ni se ha impugnado esa comisión de servicios ni se ha declarado ilegal, por lo que la recurrente tiene derecho a que se le valore la experiencia derivada de la prestación de servicios en un puesto de farmacéutico inspector*».

Y, por ello, los servicios prestados como personal eventual no se pueden valorar como mérito para el acceso a la función pública o para la promoción pública[222].

A tales efectos, se deben computar los períodos que tengan la consideración tanto de trabajo efectivo como de descanso computable como de trabajo (por ejemplo, los descansos semanales y festivos)[223]. También se tendrá en cuenta el tiempo transcurrido en las situaciones asimilables al servicio activo [servicios especiales (art. 87.2 EBEP) y servicios en otras Administraciones Públicas (art. 88 EBEP)]. En cambio, no se tomará en consideración el tiempo transcurrido en excedencia o en suspensión de funciones. En particular, y por lo que se refiere a la excedencia por cuidados de hijos y otros familiares, hay que indicar que el art. 56 de la Ley Orgánica 3/2007, de 22 de marzo, para la igualdad efectiva de mujeres y hombres (LOI), establece que sin perjuicio de las mejoras que pudieran derivarse de acuerdos suscritos entre la Administración General del Estado o los organismos públicos vinculados o dependientes de ella con los representantes del personal al servicio de la Administración Pública, la normativa aplicable a los mismos establecerá un régimen de excedencias, reducciones de jornada, permisos u otros beneficios con el fin de proteger la maternidad/paternidad y facilitar la conciliación de la vida personal, familiar y laboral. Pues bien, de conformidad con el art. 57 de esta disposición legal «en las bases de los concursos para la provisión de puestos de trabajo se computará, a los efectos de valoración del trabajo desarrollado y de los correspondientes méritos, el tiempo que las personas candidatas hayan permanecido en las situaciones a que se refiere el artículo anterior». Ahora bien, no será posible hacer una interpretación extensiva del término «provisión de puestos de trabajo» que pueda comprender

---

[222]   Lo que lleva a plantear la posibilidad de restringir la valoración de los servicios prestados a aquellos desempeñados conforme a un proceso previo de selección que respetase los principios básicos de igualdad y publicidad, evitándose que de un reclutamiento en fraude de ley se deriven efectos que privilegien la posición irregularmente obtenida (FERNÁNDEZ RAMOS, S., «Acceso al empleo público: igualdad e integridad», cit., pág. 23).
[223]   STSJ de Castilla y León (CA) de 30 de junio de 2014 (Rec. 1269/2011).

los procesos selectivos para el ingreso como funcionario de carrera o personal laboral fijo, incluidos los procesos de promoción interna o de consolidación de empleo temporal, en los que rigen los principios de igualdad, mérito y capacidad[224]. No obstante, nadie discute que los servicios prestados durante los permisos por nacimiento, adopción, guarda con fines de adopción o acogimiento deben ser objeto de valoración en los procesos de selección de las Administraciones Públicas[225].

Cuando los aspirantes tengan o hubieran tenido la condición de contratados laborales, hay que computar como servicios prestados el tiempo correspondiente a la tramitación de un despido declarado improcedente[226], así como el que resulte de los contratos de puesta a disposición suscritos por las Administraciones con las empresas de trabajo temporal en cuanto acreditativos de los servicios efectivamente presta-

---

[224]   Ni el EBEP ni la LO 3/2007 reconocen derecho alguno a que el tiempo transcurrido en situación de excedencia por cuidado de familiar sea computable a los interinos como servicios efectivamente prestados a fin de acceder a la función pública o a la condición de personal laboral fijo [SSTSJ de Extremadura (CA) de 28 de septiembre de 2012, de Castilla-La Mancha (CA) de 22 de abril de 2008, de Andalucía (CA) de 23 de septiembre de 2009, de Castilla y León (CA) de 12 de septiembre de 2013 (Rec. 766/2010), de Murcia (CA) de 10 de octubre de 2013 (Rec. 172/2009)], de Madrid (CA) de 27 de marzo de 2014 (Rec. 1431/2012) y de Asturias (CA) de 29 de diciembre de 2016 (Rec. 745/2015)]. En sentido contrario, la STS (CA) de 21 de diciembre de 2016 (Rec. 726/2015), si bien se centra en cuestiones más bien formales, y la STSJ de Galicia (CA) de 23 de junio de 2010 (Rec. 456/2009). Está última considera que el criterio de baremación del mérito «Experiencia Profesional» elaborado por la División de Recursos Humanos y Desarrollo Profesional del Sergas (los servicios prestados durante el período en que se disfrute de una reducción de jornada para el cuidado de familiares, serán valorados como servicios prestados en régimen de jornada completa), aceptado por el tribunal calificador, *«tiene una justificación objetiva y razonable que viene impuesta por la Ley Orgánica 3/2007, de 22 de marzo, cuyo artículo 5 proclama el principio de igualdad de trato y de oportunidades entre mujeres y hombres, aplicable en el ámbito del empleo privado y en el del empleo público»*.

[225]   La STS (CA) de 14 de enero de 2020 (Rec. 4816/2017) considera que la no inclusión en la fase de concurso de un proceso selectivo del período de dieciséis semanas de la baja por maternidad de la empleada pública vulnera los principios de igualdad y de no discriminación por razón de sexo. Cfr. la STS (CA) de 5 de junio de 2020 (Rec. 4751/2017).

[226]   STS de 30 de octubre de 2007 (Rec. 1233/2003).

dos para dichas Administraciones Públicas[227]. En fin, la contratación a tiempo parcial significa prestación de servicios y es evaluable, pero no parece lógico asignar la valoración prevista para el mes trabajado cuando sólo se realiza una jornada de cinco horas en un día a la semana, de lo cual resulta evidente que debió emplearse un criterio corrector a fin de valorar el desempeño de este trabajo[228].

d) En fin, es una constante en la jurisprudencia considerar justificada una mayor puntuación en los servicios o experiencia en las Administraciones Públicas que en los habidos fuera de las mismas, ya que existen diferencias absolutamente relevantes en el procedimiento de selección del personal laboral temporal pues en el sector privado queda en manos del empresario y no está vinculado por los principios de igualdad, mérito, capacidad y publicidad[229].

## 3.2. La valoración de los méritos en los procesos de consolidación de empleo temporal previstos en el art. 19.Uno.6 de la Ley 3/2017 y en la DT 4.ª del EBEP

Las Administraciones Públicas pudieron disponer en los ejercicios 2017 a 2019 de una tasa adicional para la estabilización de empleo temporal de aquellas plazas que, desde una fecha anterior al 1 de enero de 2005, hubieran venido estando ocupadas ininterrumpidamente por interinos o temporales y sigan ocupadas por ese mismo personal en el momento de la convocatoria (art. 19.Uno.6 Ley 3/2017 y DT 4.ª EBEP).

---

[227]   STSJ de Galicia (CA) de 12 de noviembre de 2014 (Rec. 211/2014).
Por otra parte, según el Informe de la Abogacía del Estado sobre cuestiones relativas a los procesos selectivos de estabilización de empleo temporal, es indiferente que el trabajador haya ingresado en la plantilla del ente público que actúa como empresario cesionario como consecuencia de la declaración del despido como improcedente, o que no lo haya hecho por haber optado por pagar una indemnización por el despido, pues lo esencial en la apreciación del mérito es el trabajo efectivamente realizado para el ente público de que se trate en la situación de cesión ilegal, y este es anterior a tal ingreso o pago de la indemnización.

[228]   STSJ de Cataluña (CA) de 20 de julio de 2005 (Rec. 284/2001).

[229]   Por todas, la STS (CA) de 5 de julio de 2019 (Rec. 173/2018).

A estas convocatorias les será de aplicación lo previsto en el apartado tercero de la DT 4.ª del EBEP.

El régimen jurídico viene a ser el siguiente:

1.º) La consolidación no opera de forma automática, sino que es preciso superar el correspondiente procedimiento selectivo[230], ni exonera a los interinos o contratados temporales del cumplimiento de los requisitos generales (verbigracia, la titulación o el perfil lingüístico exigidos)[231].

2.º) Los procesos selectivos «*se desarrollarán conforme a lo dispuesto en los apartados 1 y 3 del artículo 61 del presente Estatuto*» (DT 4ª.3 EBEP), esto es, tendrán carácter abierto[232] y garantizarán la libre concurrencia con una valoración de los méritos de los aspirantes proporcionada que no determine, en ningún caso, por sí misma el resultado del proceso selectivo.

3.º) Se impone el sistema de concurso-oposición; la valoración de los méritos sólo procederá respecto de aquellos aspirantes que superen la prueba de capacidad y conocimientos que significa la oposición[233]. Las

---

[230]   Cfr. STC 302/1993, de 21 de octubre; y SSTS (Social) de 14 de diciembre de 2009 (Recud. 1654/2009), 4 de febrero de 2010 (Recud. 1857/2009), 10 de febrero de 2010 (Recud. 1954/2009) y 10 de marzo de 2010 (Recud. 2305/2009) y 18 de diciembre de 2012 (Rec. 185/2011).

[231]   SSAN (CA) de 11 de diciembre de 2012 (Rec. 20/2012), 14 de febrero de 2013 (Rec. 27/2012), 19 de abril de 2013 (Rec. 8/2013) y 12 de junio de 2013 (Rec. 15/2013); y STSJ del País Vasco (CA) de 16 de maro de 2011 (Rec. 573/2010).

[232]   SSTSJ de Galicia (CA) de 18 de abril de 2012 (Rec. 1229/2008) y 27 de junio de 2012 (Rec. 1046/2010). No obstante, la exigencia de no tener la condición de personal funcionario, laboral o estatutario fijo en el cuerpo, escala o categoría objeto de la convocatoria carece de toda relevancia desde la perspectiva del art. 23.2 de la CE en su concreta dimensión de acceso a la función pública, por cuanto, en principio, resulta plenamente congruente con el propio sistema de provisión de vacantes que quienes ya son titulares en propiedad de una plaza de la categoría y especialidad convocadas no puedan concurrir a un proceso selectivo dirigido a cubrir plazas de la misma condición que aquellas cuya titularidad ya ostentan. En este sentido, se expresan las SSTSJ de Andalucía (CA) de 12 de mayo de 2011 (Recs. 782/2010 y 784/2010) y 7 de octubre de 2013 (Rec. 943/2010).

[233]   SSTSJ de Galicia (CA) de 18 de abril de 2012 (Rec. 1229/2008) y 27 de junio de 2012 (Rec. 1046/2010), de Madrid (CA) de 30 de noviembre de 2017 (Rec. 1188/2016), de Murcia (CA) de 28 de noviembre de 2018 (Rec. 346/2017) y de

pruebas deben medir con criterios cualitativos la capacidad imprescindible para el acceso a la función pública[234]. Ciertamente, como subraya la STS (CA) de 18 de mayo de 2016 (Rec. 1063/2015), estos procesos «*no pueden eximir de la exigencia constitucional de garantizar de manera efectiva, mediante pruebas que sean calificadas con criterios cualitativos, la capacidad imprescindible para el acceso a la función pública*» y su ventaja en lo que consiste «*es en limitar, en el titular de un empleo temporal, los efectos de la libre concurrencia que rija en el proceso selectivo mediante una ponderación de su experiencia profesional que, a igual capacidad demostrada en conocimientos teóricos y prácticos, permita darle prioridad en el acceso*

---

Galicia (CA) de 17 de junio de 2020 (Rec. 66/2019). Por lo demás, la STSJ de Murcia (CA) de 28 de noviembre de 2018 (Rec. 346/2017) señala lo siguiente: «a la Administración regional no le debió parecer suficiente «ventaja» para los interinos por lo que añadió otra más, como es la de bajar el listón del aprobado en la fase de oposición de tal manera que aprobar el ejercicio único fuera lo más sencillo posible con el fin de que los aspirantes empleados públicos temporales pudieran pasar con soltura a la fase siguiente, la del concurso, ya que en esta segunda fase tendrían absolutamente toda la ventaja frente a los aspirantes sin servicios o con escasos servicios en la administración. para ello se decidió que, para superar la oposición, el ejercicio único tipo test, bastase la obtención del 33,33% de aciertos netos, que trasladado a la puntuación habitual en base 10 (en la que el aprobado esté en el típico 5) equivale a sacar una nota 3,3. Sin embargo, dicha decisión convierte este procedimiento selectivo, de facto, en un procedimiento restringido solo para aspirantes que cuenten con experiencia previa en la Administración. Y los procedimientos selectivos restringidos están proscritos por vulnerar el art. 23.2 CE en la doctrina del Tribunal Constitucional (STC 151/1992). El problema, pues, es que un procedimiento selectivo ya de por sí diseñado para favorecer a quienes son o han sido funcionarios interinos por la vía de que el único mérito valorable sea la experiencia funcionarial, se lleva hasta el extremo de añadir una nueva ventaja, totalmente desproporcionada y no razonable, como es que en la única fase selectiva que es objetiva, absolutamente igual para todos los participantes (la fase de oposición) y en la que se mide estrictamente su capacidad, queda totalmente desvirtuada al rebajar el listón del aprobado de forma exagerada de tal manera que el aprobado se pudo obtener acreditando solamente un tercio de los conocimientos sobre los que se preguntaba, un tercio de aciertos netos. Ello permitió que un número elevado de aspirantes, que contaban con tiempo de servicios como funcionarios, obteniendo apenas un dos en el ejercicio único (33,33% de aciertos), luego en la fase de concurso superaran fácilmente a otros aspirantes a base de tiempo de antigüedad como funcionario o tiempo de servicios en puestos de trabajo de funcionarios».

[234]     STS (CA) de 18 de mayo de 2016 (Rec. 1063/2015).

*frente a otros aspirantes que carezcan de esa experiencia o la posean en menor medida*[235]. Además, la DT 4.ª del EBEP opta porque el desarrollo del concurso-oposición comience por la oposición y siga, con quienes la superen, con el concurso.

4.º) Los interinos y contratados temporales dispondrán de las siguientes ventajas (DT 4ª.3 EBEP):

a) En la fase de oposición, el contenido de las pruebas *«guardará relación con los procedimientos, tareas y funciones habituales de los puestos objeto de cada convocatoria»*, esto es, con los procedimientos, tareas y funciones *«habituales»* de los cuerpos, escalas, categorías o grupos profesionales objeto de la convocatoria, que no de los concretos puestos de trabajo desempeñados por los funcionarios interinos o contratados temporales[236]. Pero no existe base jurídica para fundamentar que al personal interino de larga duración se le exima de someterse a unas pruebas objetivas de evaluación de sus conocimientos[237].

b) En la fase de concurso *«podrá valorarse, entre otros méritos, el tiempo de servicios prestados en las Administraciones Públicas y la experiencia en los puestos de trabajo objeto de la convocatoria»*. Y así se puede otorgar una diferente puntuación a la experiencia profesional en el cuerpo, escala, categoría o grupo profesional objeto de la convocatoria según los servicios se hayan prestado en la Administración convocante o en el resto de las Administraciones Públicas, pero siempre de manera proporcional y sin que, en ningún caso, pueda determinar el resultado del proceso[238]. De

---

[235]   En el mismo sentido, la STSJ de Extremadura (CA) de 15 de julio de 2019 (Rec. 294/2018).

[236]   En sentido se expresa la STSJ de Galicia (CA) de 18 de abril de 2012 (Rec. 1229/2008) al señalar que *«la pretensión de que las pruebas del proceso habrían de ajustarse a las funciones que viene realizando el recurrente, limitadas a la instrucción de expedientes en materia de sanidad animal y vegetal, llegando incluso, en fase de conclusiones a pretender la anulación parcial de los ejercicios que no se ajustaron a las mismas, tampoco puede tener favorable acogida porque implicaría crear una convocatoria ajustada al perfil personal y profesional del recurrente»*.

[237]   STSJ de Madrid (CA) de 18 de junio de 2020 (Rec. 2023/2018).

[238]   SSTSJ de Aragón (CA) de 15 de julio de 2009 (Rec. 242/2007), de Madrid (CA) de 20 de diciembre de 2917 (Rec. 214/2017), de Murcia (CA) de 4 de junio de 2020 (Rec. 702/2018), de Andalucía (CA) de 10 de junio de 2019 (Rec. 258/2019)

esta manera, las Administraciones Públicas tienen más discrecionalidad a la hora de ponderar la experiencia profesional en los procesos de consolidación de empleo temporal ex DT 4.ª del EBEP. Lo que puede dar lugar a situaciones en las que se favorezca a los interinos más antiguos o, por el contrario, a los modernos. Pues bien, aquellos o estos pueden entender que se vulnera el principio de igualdad, mérito y capacidad

---

y de Galicia (CA) de 21 de octubre de 2020 (Rec. 221/2020). En sentido contrario, se expresa la STSJ de Andalucía (CA) de 22 de diciembre de 2014 (Rec. 1349/2011). Por lo demás, la STSJ de Madrid (CA) de 30 de noviembre de 2017 (Rec. 1188/2016) subraya lo siguiente: «La Sala entiende que las resoluciones del Ayuntamiento que constituyen el objeto del presente recurso, pugnan con los más elementales criterios de la lógica humana, ya que al tratarse de la misma plaza, quien estando en posesión del título de Ingeniero Industrial Superior, y ha desempeñado temporalmente con anterioridad al 1 de Enero de 2005 una plaza que la pueden ocupar indistintamente Ingenieros Superiores e Ingenieros técnicos ha ejercido las funciones inherentes a la misma, tiene derecho a que se le computen como méritos los años de servicio en la plaza de ingeniero Industrial del Ayuntamiento de Madrid, pese a que su contrato fuera de ingeniero técnico (imaginamos que por razones presupuestarias), al tratarse como ya hemos dicho de la misma plaza y mismas funciones siendo totalmente contradictorio contratar para las referidas funciones con la categoría A2 y posteriormente convocar la plaza en un proceso de consolidación de empleo con categoría A1. Esta contradicción que carece de cualquier tipo de motivación o fundamento legal, no puede en absoluto perjudicar al recurrente y que no se le valoren en la fase de concurso sus años ocupando la plaza ofertada, que es precisamente la finalidad de un proceso extraordinario de consolidación de empleo».

Según FERNÁNDEZ RAMOS, S., «Acceso al empleo público: igualdad e integridad», cit., pág. 23, se permite una doble valoración, esto es, de los servicios prestados en las Administraciones Públicas y de *la experiencia en los puestos de trabajo objeto de la convocatoria*». Según NAVARRO NIETO, F., «Los planes de estabilización del empleo temporal en el Estatuto Básico del Empleado Público», *Revista andaluza de trabajo y bienestar social*, núm. 103, 2010, pág. 94, la ventaja para los empleados temporales se refuerza en la DT 4.ª del ET porque se privilegia específicamente la antigüedad en la Administración convocante y porque la experiencia que se valora especialmente es la acumulada en el concreto puesto objeto de cobertura. Finalmente, COMELLAS BATET, E., «La incidencia de la Ley de Presupuestos Generales del Estado en el dimensionamiento de las plantillas locales. Tasas de reposición y procesos de estabilización», *VI Seminario de actualización jurídica y Derecho Local*, Girona, 29 de junio de 2018, pág. 24, admite la posibilidad de no valorar la experiencia en el sector privado, lo que se justifica por la misma excepcionalidad del objetivo de estos procesos.

consagrado en los arts. 14 y 23 de la Constitución Española, pero para que los tribunales puedan apreciar dicha vulneración se requiere la aportación de un término idéntico de comparación, que el trato desigual no esté fundado en razones objetivas que lo justifiquen y que el juicio comparativo se desarrolle en el marco de la legalidad, ya que no cabe invocar el principio de igualdad en la ilegalidad, sin que pueda servir para perpetuar situaciones contrarias a lo previsto en el ordenamiento jurídico[239].

En cambio, la DT 4.ª del EBEP no autoriza a:

a) Circunscribir la experiencia profesional valorable a la acreditada en la Administración convocante; se deben considerar los servicios prestados en cualesquiera Administraciones Públicas, aunque sea con menor puntuación[240].

b) Diferenciar la experiencia en el mismo cuerpo, escala o categoría profesional en el seno de la propia Administración convocante[241] ni prescindir de los servicios que con el mismo o similar contenido hayan sido desempeñados antes de la convocatoria o bajo regímenes jurídicos distintos del funcionarial o, en su caso, del laboral en la propia entidad convocante[242]. En efecto, la DT 4.ª del EBEP establece la posibilidad

---

[239]  STSJ de Murcia (CA) de 13 de diciembre de 2018 (Rec. 298/2017); resolución judicial que es confirmada por la STS (CA) de 25 de enero de 2021 (Rec. 2261/2019) en la que se considera que la limitación del cómputo de los servicios prestados y la experiencia de los puestos que son objeto de la convocatoria, a diez años, no transgrede el umbral de la racionalidad y la proporcionalidad, respeta el mérito y capacidad, no puede tildarse de ser arbitraria o caprichosa, ni contradice la DT 4ª del EBEP. Tampoco es discriminatoria la DT 10ª del V Convenio Colectivo General Único del Personal Laboral al servicio de la Xunta de Galicia que regula la consolidación de empleo temporal en atención exclusiva a la fecha de ingreso por tratarse de procesos extraordinarios que, con amparo en normas legales, otorgan tratamiento distinto en función de las fechas en que se haya accedido al empleo público temporal [STS de 14 de enero de 2021 (Rec. 146/2019)].

[240]  Cfr. las STSJ de Madrid (CA) de 7 de febrero de 2019 (Rec. 1744/2018) y de Murcia de 4 de junio de 2020 (Rec. 702/2018).

[241]  STSJ de Castilla-La Mancha (CA) de 29 de diciembre de 2017 (Rec. 67/2017).

[242]  SSTSJ de Castilla y León (CA) de 6 de noviembre de 2009 (Rec. 79/2009), de Asturias (CA) de 30 de noviembre de 2010 (Rec. 236/2010), de las Islas Canarias (CA) de 1 de julio de 2013 (Rec. 144/2012), de Galicia (CA) de 30 de enero de 2019 (Rec. 174/2017), de las Islas Canarias (CA) de 21 de febrero de 2019

de consolidar el empleo desempeñado interina o temporalmente con anterioridad al 1 de enero de 2005, sin establecer distinción alguna en la experiencia profesional adquirida en razón del régimen jurídico de vinculación con la Administración Pública.

En cambio, la DT 4.ª del EBEP permite configurar como mérito evaluable el tiempo trabajado en el sector público, con exclusión de los servicios de igual naturaleza desempeñados en el sector privado[243].

En cuanto al resto de méritos, como los cursos de formación o de perfeccionamiento, rigen las reglas generales, por lo que los mismos deben guardar relación con el conjunto de funciones y tareas a desarrollar en el cuerpo, escala, categoría o grupo profesional al que se concursa[244].

Por otra parte, las Administraciones Públicas no están obligadas a ajustarse al perfil lingüístico correspondiente a los funcionarios interinos o contratados temporales[245].

En fin, la DT 4.ª del EBEP se remite a los apartados 1 y 3 del art. 61 del EBEP y, con el ello, al mandato de proporcionalidad[246].

---

(Rec. 190/2018) y de Andalucía (CA) de 20 de febrero de 2020 (Rec. 259/2018). En cambio, la STSJ de Madrid (CA) de 7 de febrero de 2019 (Rec. 1744/2018) considera conforme a derecho el que sólo se valoren los servicios prestados como mérito en la fase de concurso, si los aspirantes ostentan la condición de funcionario interino de la Escala Auxiliar Administrativa de la Universidad Complutense de Madrid el día de la publicación de la convocatoria en el BOE.

[243]   STSJ de Andalucía (CA) de 20 de enero de 2020 (Rec. 535/2019).

[244]   Cfr. la STSJ de las Islas Canarias (CA) de 1 de julio de 2013 (Rec. 144/2012).

[245]   STSJ del País Vasco de 18 de diciembre de 2014 (Rec. 410/2012).

[246]   A este respecto, la STSJ de Andalucía (CA) de 20 de octubre de 2017 (Rec. 576/2017) señala lo siguiente: «se advierte que conforme a la Base 6.7 y en lo que se refiere al primer criterio de puntuación total se dice que: «La calificación final del proceso selectivo vendrá determinada por la suma de las puntuaciones obtenidas en la fase de concurso y oposición. (…).» de modo que, si por la primera fase, esto es, la de oposición, se establece una puntuación máxima de 15 puntos, (7.5 x 2), y, para la de concurso, un máximo de 30 por experiencia profesional, además de otros 5, (4 y 1), por méritos de Formación y Formación complementaria, si ello es así, necesariamente se ha de concluir que en el resultado del proceso selectivo, calculado por mera suma de la puntuación de ambas fases y habida cuenta de la desproporción expuesta, (el valor de los méritos supera en más del doble al de los ejercicios de oposición), es determinante la valoración de méritos por cuanto que

## 3.3. La valoración de los méritos en los procesos de estabilización de empleo temporal previstos en el art. 2 del RD-l 14/2021, de 6 de julio, de medidas urgentes para la reducción de la temporalidad en el empleo público

Como hemos visto, se impone el sistema de concurso-oposición, aunque las Administraciones Públicas podrán optar por el sistema de concurso de méritos si su normativa propia o específica lo permite, en el que corresponde un 40% de la puntuación total a la fase de concurso y el 60% restante a la oposición (art. 2.4 RD-l 14/2021). Los méritos a valorar en la fase de concurso, por lo general, son las titulaciones académicas, los cursos de formación o perfeccionamiento y la experiencia profesional, pero por imperativo del propio art. 2.4 del RD-l 14/2021 esta última debe tener un peso principal. De este modo, la puntuación de los servicios prestados puede alcanzar sin problemas el 33% de la puntuación máxima que puede lograrse en total en el proceso selectivo.

---

aún sin asignación de puntos en la fase de oposición e, incluso, siendo valorada solo la experiencia cabría la superación del proceso por quien únicamente contase con dicho mérito, y, ello, además, imponiéndose a quién hubiese obtenido la máxima puntuación en la fase de oposición». En esta misma línea, la STSJ de Madrid (CA) de 7 de febrero de 2019 (Rec. 1744/2018) razona en los siguientes términos: «*Y desde esta perspectiva, entendemos que dicha diferencia de trato es objetiva y razonable, y está basada en los principios de mérito y capacidad sin que en modo alguno podamos aceptar el planteamiento de la sentencia apelada, ya que la convocatoria establece una fase previa de oposición que tiene un valor total de 50 puntos y el máximo que se puede obtener en fase de concurso son 22 puntos, dos de los cuales se pueden conseguir por méritos distintos de la experiencia profesional. Ahora bien, para superar la fase de oposición hay que obtener como mínimo 25 puntos, de modo que, aunque se trate de un funcionario interino con servicios computables, no superaría dicho proceso selectivo sino aprobase la primera fase del proceso que examinamos. De otro lado, la máxima puntuación que puede obtenerse en el total del proceso selectivo seria de 72 puntos, de los que el funcionario interino, por servicios previos, podría obtener como máximo 20 puntos, lo que supone un 27,77 por 100 de la puntuación máxima, por lo que como acertadamente señala la Universidad apelante, dicho porcentaje lo ha considerado válido y no desproporcionado el Tribunal Constitucional en sentencia 107/2003, de 2 de junio cuando se trata de un proceso selectivo de consolidación de empleo, y si bien, el presente proceso selectivo no es estrictamente de dicha naturaleza, como antes se ha señalado, se trata de un proceso especial, para la estabilización del empleo temporal*».

No obstante, corresponde a la negociación colectiva establecida en el art. 37.1.c) del EBEP determinar, en su ámbito respectivo y en relación con las competencias de cada Administración Pública, la valoración de la antigüedad. Por lo demás, la experiencia profesional a valorar es la acreditada en el cuerpo/escala o categoría/grupo profesional al que se concursa, y, en principio, no parece que se pueda circunscribir a la acreditada en la Administración convocante ni que se pueda valorar de forma distinta según la Administración de procedencia.

## IV. RECAPITULACIÓN: SOBRE LOS LÍMITES DE UNA POSIBLE INTERVENCIÓN NORMATIVA

Llegados a este punto, es preciso sacar algunas conclusiones acerca de si es posible, y en qué condiciones, establecer un sistema selectivo especial en relación con las personas en cuya trayectoria profesional al servicio de las Administraciones Públicas se detecta vulneración de la Directiva europea.

Los tribunales españoles han sido restrictivos en este terreno. Cabe aportar como prueba la SAN (CA) de 4 de noviembre de 2019 (Rec. 380/2017), que ha abordado directamente una pretensión de este tipo: la de una organización de interinos para ser eximidos de pruebas eliminatorias en el acceso. Al respecto, la doctrina es clara:

> *«La preferencia por el sistema selectivo de oposición y el rechazo a las oposiciones restringidas, salvo supuestos excepcionales, y la prohibición de integración automática de determinados grupos en la función pública, es una constante en la jurisprudencia constitucional y del Tribunal Supremo.*
> *Según la STC nº 111/2014, de 26 de junio del 2014, citada por la Abogacía del Estado, «la consideración de los servicios prestados no es ajena al concepto de mérito y capacidad, pues el tiempo efectivo de servicios puede reflejar aptitud o capacidad para desarrollar una función o empleo público y, suponer además, en ese desempeño, unos méritos que pueden ser reconocidos y valorados (...) Pero no puede llegar a convertirse en un requisito que excluya la posibilidad de concurrencia de terceros ni tener una dimensión cuantitativa que rebase el límite de lo tolerable...».*
> *Y el artículo 61.6 EBEP señala que «los sistemas selectivos de funcionarios de carrera serán los de oposición y concurso oposición (...) solo en virtud de ley podrá aplicarse, con carácter excepcional, el sistema de concurso que consistirá únicamente en la valoración de méritos».*

*Ninguna base jurídica tiene, por tanto, la pretensión de que al personal interino de larga duración se le exima de someterse a unas pruebas objetivas de evaluación de sus conocimientos».*

## 1. La Directiva 1999/70/CE como fundamento de una intervención legislativa

Ahora bien, una cosa es que una pretensión de este tipo no pueda ser acogida por vía jurisdiccional y otra bien distinta que la misma no pueda motivar una específica intervención legislativa. A nuestro juicio, a la vista del análisis desarrollado, la misma no solo es posible, sino que puede ser directamente necesaria. Ello es así porque, como hemos podido ver, los principios constitucionales en materia de acceso al empleo público no tienen un alcance rígido y predeterminado, sino que admiten excepciones.

A lo largo de los últimos apartados hemos visto, en efecto, como la jurisprudencia constitucional las ha aceptado en relación con el carácter abierto, con el tipo de pruebas selectivas que pueden ser utilizadas y con los criterios de valoración de la experiencia como mérito. Aunque, como regla general, los arts. 23 y 103 de la CE han de conducir a una determinada configuración de estos tres aspectos, se detectan pronunciamientos en los que se han valorado las circunstancias concurrentes para excluir que, en ciertas condiciones, sean vulnerados por la convocatoria de pruebas restringidas, la utilización del concurso de méritos o, en fin, el carácter preponderante de los méritos profesionales. Es verdad que las circunstancias excepcionales que se han valorado por la jurisprudencia constitucional atienen, por lo general, a las necesidades de puesta en marcha de nuevas instituciones administrativas. Pero no es menos cierto que, al hilo de estos procesos, se han producido consolidaciones de empleo temporal con sistemas que han valorado de forma excepcional la existencia de previas relaciones de servicios entre aquellas y determinados aspirantes.

Por otro lado, y sobre todo, se hace preciso valorar a estos efectos las obligaciones que impuestas al Estado español por la Directiva 1999/70/CE y el sistemático incumplimiento de las mismas desde la entrada en vigor de la Directiva 1999/70/CE. Como se ha visto, la existencia de aquellas en el ámbito del empleo público español es más aparente que real: si bien existen criterios relacionados con la evitación de la utilización abusiva de contratos o nombramientos temporales, nuestro sistema se caracteriza por la inexistencia de garantías adecuadas para conseguir su cumplimiento efectivo. Una posible intervención legislativa dirigida a subsanar este problema parece de todo punto necesaria; y además es sumamente conveniente puesto que, en defecto de una solución abstracta y general definida por el legislador, la aplicación de las normas del Acuerdo marco será protagonizada por los órganos jurisdiccionales, con el paralelo surgimiento de problemas de seguridad jurídica.

No puede negarse, por supuesto, que este proceso de búsqueda de mecanismos de evitación de la utilización abusiva de la contratación temporal se ha puesto en marcha en los últimos años. El proceso de estabilización del empleo temporal abierto por la Ley 3/2017, de 27 de junio, de Presupuestos Generales del Estado para el año 2017 (art. 19.Uno.6) y ampliado por la posterior Ley 6/2018, de 3 de julio, de Presupuestos Generales del Estado para el año 2018 (art. 19.9) y el RDL 14/20201 (art. 2) se sitúa con toda probabilidad en esta línea. Es dudoso, sin embargo, que, en su configuración actual, pueda cumplir la totalidad de los requisitos que la jurisprudencia europea ha considerado para entender que una garantía frente al uso abusivo de la contratación determinada cumple los requisitos de la Directiva.

En este último sentido, cabe traer a colación de nuevo la doctrina establecida por la STJUE de 19 de marzo de 2020 (Asuntos C-103/18 y C-429/18), de la que se desprende, como hemos indicado más arriba, que, si bien «*la organización de tales procesos (selectivos) dentro de los plazos establecidos puede prevenir los abusos derivados de la utilización de sucesivos nombramientos de duración determinada a la espera de que dichas plazas se provean de manera definitiva*» (§ 95), ello requiere la existencia de una garantía efectiva de que los mismos se organicen tempestivamente y, sobre todo, sanciones adecuadas para «*la utilización abusiva de tales relaciones de servicio ni para eliminar las consecuencias de la infracción del Derecho de la Unión*» (§ 97). Al respecto cabe destacar que el cumplimiento de la Directiva requiere, según el TJUE, la protección de las expectativas de las personas que han sido objeto de la contratación sucesiva de carácter abusivo:

«*100. A mayor abundamiento, por lo que respecta al hecho de que la organización de procesos selectivos ofrece a los empleados públicos que hayan sido nombrados de manera abusiva en el marco de sucesivas relaciones de servicio de duración determinada la oportunidad de intentar acceder a la estabilidad en el empleo, ya que, en principio, pueden participar en dichos procesos, este hecho no exime a los Estados miembros del cumplimiento de la obligación de establecer una medida adecuada para sancionar debidamente la utilización abusiva de sucesivos contratos y relaciones laborales de duración determinada. En efecto, como señaló, en esencia, la Abogada General en el punto 68 de sus conclusiones, tales procesos, cuyo resultado es además incierto, también están abiertos a los candidatos que no han sido víctimas de tal abuso.*
*101. Por consiguiente, dado que la organización de estos procesos es independiente de cualquier consideración relativa al carácter abusivo de la utilización de relaciones de servicio de duración determinada, no resulta adecuada para sancionar debidamente la utilización abusiva de tales relaciones de servicio ni para eliminar las consecuencias de la infracción del Derecho de la Unión. Por tanto, no parece que permita alcanzar la finalidad perseguida por la cláusula 5 del Acuerdo Marco (véase, por analogía, la sentencia de 21 de noviembre de 2018, De Diego Porras, C-619/17, EU:C:2018:936, apartados 94 y 95)*».*

En pocas palabras, la mera convocatoria abierta de los puestos ocupados actualmente por interinos, laborales o funcionariales, no es medida suficiente para dar cumplimiento al acuerdo marco incorporado en la Directiva 1999/70/CE. Se hace preciso, adicionalmente, garantizar adecuadamente las expectativas de las personas que los han ocupado, siempre que quepa considerar, en atención a las circunstancias concurrentes, que las Administraciones empleadoras han incumplido las exigencias derivadas de aquel. Habida cuenta la primacía del Derecho europeo, bien puede hallarse en él la excepcionalidad necesaria para introducir matices en la aplicación de los principios constitucionales de acceso al empleo público.

## 2. *Sobre el alcance de la excepcionalidad*

Por supuesto, esta justificación no permite legitimar cualesquiera derogaciones de los principios establecidos en los arts. 23.2 y 103.3 de la CE. Se hace precisa, probablemente, una labor de armonización de aquellos con los criterios que resultan de la Directiva, de modo que su sacrificio quede limitado por el principio de proporcionalidad. A estos efectos, conviene hacer algunas reflexiones sobre los posibles límites en la configuración de reglas excepcionales para dar salida al problema que nos ocupa.

**a)** Desde una perspectiva subjetiva, la Directiva no impide el uso de contratos o nombramientos temporales sino solo su uso sucesivo de carácter abusivo. Los destinatarios de las medidas de excepción que eventualmente se establezcan no pueden ser, por tanto, cualesquiera trabajadores temporales o funcionarios interinos sino solo aquellos en los que pueda reconocerse la existencia de la indicada utilización abusiva. Obviamente, esto no depende solo de la reiteración de vinculaciones pues, como hemos visto más arriba, cabe encontrarla también en los casos de contratos o nombramientos formalmente unitarios, siempre que dentro de tal unidad aparente se reconozcan implícitamente períodos sucesivos de prestación por haberse incumplido las reglas de cobertura definitiva de los puestos correspondientes.

A estos efectos, podrían utilizarse diferentes parámetros, extrayéndolos de la jurisprudencia o deduciéndolos de la legislación vigente. Aquella, por ejemplo, ha utilizado en ocasiones el concepto de «interinos de larga duración», para reconocerles determinados derechos —excedencia voluntaria para el cuidado de hijos; percepción de los complementos de carrera horizontal—[247]. En otras ocasiones, se ha referido la «duración inusualmente larga» de un contrato temporal como indicio de su conversión en fijo, señalando que el abuso de derecho en la contratación temporal deslegitima el contrato inicialmente válido, que se desdibuja al convertirse el objeto del contrato en una actividad que, por el extenso periodo de tiempo, necesariamente se ha incorporado al habitual quehacer[248]. La STS de 24 abril de 2019 (Recud. 1001/2017) ha reconocido, por ejemplo, esta situación en la vinculación inusualmente que se ha prolongado más de 20 años.

---

[247]     Cfr. SSTC 240/1999, de 20 de diciembre, y 203/2000, de 24 de julio; y SSTS (CA) de 30 de junio de 2014 (Rec. 1846/2013), o de 8 de marzo de 2019 (Rec. 2751/2017).

[248]     STJUE de 5 junio 2018, Montero Mateos (Asunto C-677/16).

Sin embargo, habida cuenta que lo que nos interesa es determinar la existencia de un incumplimiento del empleador que permita detectar la existencia implícita de sucesivas vinculaciones de carácter abusivo, lo más correcto es acudir a las previsiones legales en relación con la tempestiva cobertura definitiva de los puestos de trabajo. Ello nos situaría, probablemente, ante un horizonte temporal mínimo de prestación consecutiva de servicios que oscilaría entre tres y cinco años. Los tres años podrían relacionarse con la anualidad de las ofertas públicas de empleo (art. 70.2 EBEP), cuya ejecución debe completarse dentro del «improrrogable» plazo de tres años (art. 70.1 EBEP). Debe tenerse en cuenta, además, que el art. 10.4 del EBEP impone la inclusión de las plazas vacantes ocupadas por funcionarios interinos en la oferta de empleo correspondiente al ejercicio del nombramiento o, como mucho, en el siguiente. Esto nos situaría, con mayor certeza, en el horizonte de cinco años al que también se ha hecho alusión. Somos conscientes de que los tribunales del orden social han rechazado que este tipo de cálculos sirva de base para considerar abusivas las contrataciones laborales de interinidad por vacante[249]. Pero aquí estamos resolviendo un problema de diferente naturaleza: la determinación de un posible criterio para una razonable intervención del legislador.

**b)** Desde un punto de vista objetivo, la posible actuación legislativa podría referirse tanto al carácter abierto como al tipo de proceso selectivo o a la valoración de la experiencia profesional pues en todos ellos se ha encontrado la posibilidad de incluir excepciones a las reglas generales en caso de circunstancias excepcionales. De todos modos, si lo que se busca es una razonable armonización entre exigencias de la Directiva y los principios constitucionales en materia de acceso al empleo público, seguramente la actuación legislativa habría de centrarse en la utilización del concurso de méritos para el proceso de acceso. Como hemos visto, se trata de un procedimiento menos «agresivo» que otros mecanismos para salvaguardar las expectativas de los interinos. Y, además, en su regulación básica vigente (art. 61.6 EBEP) ya se prevé su uso en supuestos excepcionales.

---

[249]  STS de 24 de abril de 2019 (Recud. 1001/2017), seguida por otras.

En todo caso, es interesante recordar que la jurisprudencia constitucional ha insistido siempre en el requisito de la excepcionalidad de las medidas que se separen de los criterios generales en materia de acceso al empleo público. Desde esta perspectiva, podría ser razonable que las medidas excepcionales que se establezcan hacia el pasado vayan acompañadas de medidas relacionadas con la evitación en el futuro de situaciones análogas a la que se ha producido en los últimos lustros.

**c)** Por último, desde la perspectiva formal, es claro que cualquier solución en las líneas expuestas debe venir establecida por ley formal. Con toda probabilidad, la misma habrá de ser una ley estatal de carácter básico. Es verdad que, habida cuenta la literalidad del art. 61.6 del EBEP, cabría defender que una ley autonómica pudiera aportar soluciones en el terreno del concurso de méritos. Pero no lo es menos que ello no es seguro, toda vez que la doctrina constitucional no solo predica el carácter básico del art. 61 del EBEP sino también y sobre todo de los principios generales recogidos en el art. 55.1 EBEP. En este sentido se ha manifestado la STC 238/2015, de 19 de noviembre:

> *«Como adelantamos en el fundamento jurídico segundo, es constante la doctrina constitucional (por todas, STC 174/1998, de 23 de julio, y STC 111/2014, de 26 de junio) que afirma que la competencia básica estatal sobre el régimen estatutario de los funcionarios públicos (art. 149.1.18 CE) comprende la fijación del principio de igualdad como elemento esencial del acceso a dicha condición, de modo tal que los arts. 55.1 y 61 del texto refundido de la Ley del estatuto básico del empleado público que establecen este principio en la actualidad son formal y materialmente básicos. Estas mismas resoluciones del Tribunal Constitucional, en los términos que igualmente se han indicado en el fundamento jurídico segundo, declaran que dicha competencia estatal básica alcanza también a la determinación de qué modulaciones admite tal principio en cada momento».*

En este contexto, parece más seguro que la legislación estatal básica articule los aspectos generales de la solución del problema y que, en su caso, pueda ser concretado con posterioridad en los ámbitos autonómicos.